2

ARIOTO

女同士とかありえないでしょと言い張る女の子を、百日間で徹底的に落とす百合のお話

「女同士とかありえないよねー」
って言ってたあたし・鞠佳《まりか》が
百日間で徹底的に落とされ
今では不破絢《ふわあや》専用の従順なペットに
スリスリ
誰がペットだ誰が
じゃあなに？
えっ？
それは……

絢《あや》のこ、恋人……
だよ
カァァァッ
調教完了ねっ
なっ!
言わせて楽しんでるだけでしょ!
グッ
まぁ
あたしみたいな美少女の心も体も自分のものにできて
さぞ満足でしょうね
どやぁっ
じーーー
……

ぐいっ
んんっ
!!?
とろんっ
ちょっ
ここ町中…っ！
ばかじゃないの!?
満足って？
まだまだ
これからだよ
したいこと
たくさん
あるんだから

●●とか
一晩中●●とか
それに徹底的に
●●するのとかも
やんっ
なに言って…っ！
ヘンタイ!?
それあたしにする気じゃないでしょうね!?
もちろん
だって鞠佳は私の
恋人
なんでしょ？
ドキドキ
うわぁ…
ゴクッ
顔がいい…ずるいっ
百日去ってまた一難
まだまだありえない日は続きそうです

次はあっちのお店にいこうよ、絢。
まだデートは始まったばかりだよ！

うん、鞠佳。
ふたりで渋谷デート☆

目次［もくじ］

ARIOTO

onnadoushitoka ARIENAIDESYO to iiharuonnanoko wo hyakunichikan de TETTEITEKINI otosu yuri no ohanashi

女同士とかありえないでしょと言い張る女の子を、百日間で徹底的に落とす百合のお話2

みかみてれん

GA文庫

カバー・口絵　本文イラスト
雪子

プロローグ

ARIOTO
onnadoushitoka ARIENAIDESYO to iiharuonnanoko wo hyakunichikan de TETTEITEKINI otosu yuri no ohanashi

「いやいや、そんな、女同士でとかありえないから！」

叫んだ直後、あたしはしまったって口を塞《ふさ》いだ。

いや、いやいや、ていうか悪いのは絢《あや》だし。いきなりそんなこと言われたら、誰《だれ》だって悲鳴をあげるっての。

だってさ。

『私と鞠佳《まりか》が付き合ってること、クラスのみんなに言ってもいい？』なんて、絶対ムリだから。ありえないって」

あたしは読んでたマンガを閉じて、呆《あき》れるような目を向けた。

きょうは休日で昼下がり、絢の部屋。

夏休みも終わって、でも夏休み前とは明確に違うところがあって、それはあたしと絢のカンケイだったり、距離感だったりする。

不破《ふわ》絢は高校二年生の女の子で、一応、学校のクラスメイト。そんでもって、同年代がなりたい顔ランキングを取ったらぶっちぎり一位を獲得するぐらいの美人だ。

誰もが羨《うらや》むような綺麗《きれい》な肌だとか、キューティクルな髪だとか、おっきくてぱっちりした目だとか、こなれたメイク力だとか、さらに女優たちがあたしたちにインスタでアピールし続けてる『どう？　このスタイルどう？　これがオンナの目指すところでしょ？』という理想像を、身近で無意識かつ無自覚に見せつけてきやがる女で――。

――そして、あたしの恋人だ。

絢とはゴールデンウィーク明けにちょっとしたイベントがあって、仲良くなった。

いや、素直に仲良くなったって言うと語弊《ごへい》があるな……。なんだろう、濃い百日間で絢の毒牙にかけられてしまった、とかかなー……。

あたしの拒否感に対して、向かい合って座ってた絢は不機嫌そうだ。こっちをダイエット仲間がひとりだけパフェ頼んだときみたいな、じとーっとした目で見てくるし。

「鞠佳の口癖。『ありえない』」

「……だって、急に絢が」

「そんなにおかしなこと？　理由がよくわからないけど」

鞠佳気にしすぎじゃない？　みたいな、こっちに原因を押しつけるような言い方にはさすがにカチンときた。

いや、あのね……。

「わかるでしょ！　てかわかれって話でしょ！」

付き合ってるってことを、クラスで公表？

女同士で？　しかもクラスの人気者、この榊原《さかきばら》鞠佳と不破絢が？

「ありえなすぎて教室に氷河期がくるわ！」

「理由」

マジかこの子。いや、わかった。ちゃんと説明しようじゃないか。

「絢はビアンバーとかで働いてるから、学校なんていう狭い常識が通用しないのかもしれないんだけど、学校っていうのはひとつの世界なの」

「うん」

そんな問題は小学校でとっくに習ったからわかりますけど、って顔してるけど、わかってるならカミングアウトしようぜ、とか言い出さないからね？

「だいたい、あたしと絢が付き合うって、周りのみんなはどう反応すればいいのかわかんなくなるでしょ？　物珍しさでパンダみたいになったり、突っつかれてヘンなこと聞かれたり。メンドくさいでしょ、絢もそういうの」

「無視すればよくない？」

「人付き合いぃ！」

あたしはカーペットに向かって叫ぶ。

絢とあたしは付き合ってるし、あたしはちゃんと絢のことは好きだ。

す、好き……うん、まあ、好き……だ。面と向かって言うのは恥ずかしいけど……好きです、はい。心の中ではけっこう素直になりました。

でもね、絢のこういうとこはホント理解できないし、これから先もずっとすれ違うんだろうなーって思うと、正直かったるい。

お部屋でごろごろしてたさっきまでの、生ぬるいお風呂《ふろ》みたいなムードはすっかり冷え切ってしまった。

なんであたしこの子と付き合ってるんだろ……。価値観、ゼンッゼンあわないのに。

頭を抱えてると、絢が横にやってきた。手持《ても》ち無沙汰《ぶさた》にクッションを摑《つか》むみたいな気安さで、あたしの腰に腕を回してきたりする。なんなのよ。

「スキンシップされても、それであたしが首を縦に振ったりしないからね」

「いや、これは触りたいから触っているだけ」

「そうですか……」

ただのマイペースだった。

そうだこの子、空気とかまったくぜんぜん気にしないんだった。

ペタペタと触られながら、脱力感に襲われて、これみよがしにため息をついてはみるけど、ムダ。絢はどこまでも己《おのれ》の欲望に忠実であった。

絢の手は腰からおしりを撫《な》で回してくる。もう片方の手が、ふとももをまさぐってきた。いくら女同士だからって、友達ではぜったいにありえないような距離感だ。

まったくもう、ほんと自分勝手。あたしはそういう気分じゃないってのに……。

だったらせめて、なるべくそっけない態度でやり過ごしてやろうって思ってたんだけど……。

絢の手つきはあくまでも優しくて、じわじわとむずがゆさが湧《わ》き上がる。反応したら負けだ負けだと言い聞かせてると、余計に意識がそっちに集中しちゃいそうだ。

まあ、あたしの私服はだいたいミニのスカートだし、トップスも薄手のものを愛用してるので、そりゃちょっかい出しやすかろうよ。

ひょっとして……またこいつ、勘違いしてないでしょうね。

釘《くぎ》刺しておかないと。

「言っとくけど」

「うん」

「絢にイジられたくって、こんなカッコしてるわけじゃないからね」

「ちがうんだ？」

飴玉《あめだま》を含んだような甘い声に、またしてもイラッ。

「違うから！　これはあたしの趣味であり、キャラであり、スタイルだから！」

「果物ってさ、すごいよね」

急にどうした不破絢。

果物。りんごとかみかんとか？

「人間においしくたべられるために進化したわけじゃないのに、でも人間にとっておいしいから、果物ってすごいよね」

「………あたしのファッションとそれ、なんか関係あるんですかねえ」

「とくには？」

絢は上品に微笑してる。誰が絢においしく食べられるために育った鞠佳だ、誰が。

「ほんっと、絢ってば……疲れる」

カメラのフィルター機能を切り替えるみたいに、絢が表情を変えた。

不安めいたその眼差《まなざ》しが近づいてきて、あたしの顔を覗《のぞ》き込む。

「……嫌いになる？」

うっ。

いや、誰もそんな話してないじゃん……。

「ならない、けど……」

下手に出られたその瞬間、全身を包んでたイライラのモヤみたいなものが、どこかに吹き飛んでいってしまいそうになる。

「じゃあ好き？」

「……嫌いと好きの間には、とても大きな『割とどうでもいい』って川が流れてるんだよ」

「好き？」

むむむ。

絢の上目遣《うわめづか》いは、まだまだ甘えん坊モード。

「好きな……ほう、ですけど」

「もう一声」

家電製品の値引きかなんかじゃないんだから。

「ああもう、好き、好きだから！　これ以上言わないよ！　はい、おしまい！」

「ん、私も鞠佳が好き」

「もー……」

両手で手のひらを握られる。さすられる。

うなじに顔をうずめてきた絢が、あたしの首筋にキスをする。

はいはい、仔猫みたいですね。かわいいかわいいってば。

きょうはマンガを読みに来ただけだっていうのに、結局いちゃいちゃしてくるんだから。……別に、スキンシップはキライじゃないけど。

「どうしてもダメ？」

ん……？　とあたしは一瞬話題を見失う。

ああ、さっきの『クラスにカミングアウトするかどうか』の話だ。てっきりもう終わったかと思ってた。

「だいたい、そんなことするメリットなくない？」

「あるよ」

絢はあたしの髪を細い指先で撫でながら、わりかし大きな胸を張った。

「鞠佳が私のものだってことを、クラスに知らしめられる」

「いや……それこそ別に、どうでもよくない……？」

あんまり絢がアホなことを言うから、『いやあたし絢のものじゃないし！』っていうツッコミすらも忘れてしまった。

「これから文化祭とか、修学旅行とかあるからね。鞠佳は友達と卒業旅行にいったりもするんだよね」

「まあ、そうなるかな。悠愛《ゆめ》とか、知沙希《ちさき》とかと」

それまでバイト代がたまってたらね、って続けようとしたけど、『お金なら私が出してあげるよ』とか言われそうなので黙る。

ちなみに先月、絢から危うく渡されそうになった百万円は、もちろんお返しした。だってあれは絢がバーテンダーをやって、一年ちょっとコツコツとバイト代を貯めたものなんだし。

絢はさっきより少しだけマジメな表情になる。その横顔をチラ見。まつげ長くて、ふわふわだ。しっとりと濡《ぬ》れた瞳《ひとみ》は、どこか遠くを見つめてた。

「鞠佳が友達とたのしく思い出を作ってるときに、そばにいられないっていうのは、なんだか寂《さび》しいなって思ったから」

「う。……それは」

せっかく同じクラスなのに、と絢はこぼす。その気持ちはわかる、けど……。

あたしはそのシュンとした顔に、ほだされなかった。

「待って。だったら別に、恋人って言う必要なくない？　友達でよくない？」

絢は急にあたしを憐れむような目をした。どゆこと。

「だって鞠佳、誘い受けだしチョロいから。首輪をつけておかないとどこの誰に流されて一線こえちゃうか、わからない」

「おいこらー！」

あたしは絢に思い切り怒鳴る。絢は休日に選挙カーの演説で起こされたみたいに顔をしかめた。な、納得いかない。

「またその話を蒸し返すつもりか！　誘い受けはともかく、チョロいってなに⁉　あたし誰かについていってったりしないし！　３Ｐとかしないし！　浮気性《うわきしょう》なのは絢のほうでしょ！」

「私はもうしないよ。ちゃんと恋人ができたもの。でも鞠佳は……なんか、同性愛者を引きよせるフェロモンがある」

「ないわ！」

「あるよ。ぜったいある」

絢の眼力の強い視線で見つめられると、えっ、そ、そうなの……？　あるの、かな……とか思っちゃいそうになるけど、いかんいかん、自分を強くもて。空気に流されるからチョロい呼ばわりされるんだぞ、榊原鞠佳。

「あのね、いくらこんなユルそうな見た目してるからって、あたしは、その……絢の、カノジョ、なんだからね？　ちょっとは信じてよ」

「もちろん。信じてるよ」

絢があたしの腕にしなだれかかってくる。肩に頭を乗せられると、髪が鼻先をくすぐった。ふわり漂う絢の香り。胸の奥がほわんとする匂《にお》い。

むぐ。ほだされない、ほだされないぞ。

「でも、他のひとが鞠佳を好きになるかもしれないから心配。かわいいし、鞠佳」

「むう……」

そうだ。絢の心配性は今に始まったことじゃない。もともとあたしの百日間を百万円で買おうとしたあの一件だって、心配性から始まったようなものだ。

「てか別に、絢に言われるほどかわいいってわけでは……」

口を尖《とが》らせながらぽつりと言ったあと、あたしはハッとする。

「いや、これはかまってかまってな感じで言ったわけじゃないからね⁉　フォローを求めてのセリフじゃないから！」

「鞠佳はかわいいよ」

「違うから！」

「すっごくかわいい。ほんとかわいすぎ。上から下までぜんぶかわいい。鞠佳は余すところなく、細胞のひとかけらまでパーフェクトにかわいい」

「もうなに言ってんだかわかんない……」

後ろから抱きしめられると、とくんとくん、と絢の鼓動が聞こえてくるみたいで、なんだかあたしの気持ちまで優しい好意に引きずられちゃいそうだ。

……でもこれ、またごまかされてるよね？　まあいいけど……。

「と、とにかく、カノジョだって明かすのも、まずは友達をちゃんとできてからね」

どさくさに紛《まぎ》れて胸へと持ちあがってきた絢の手をぺちりと叩《たた》き、とりあえずこの件を先延ばしにする。

あたしと絢が本気で対立したら、最終的にあたしが折れることになるんだろうなっていう予感がするし……。無理に白黒つけないほうがいい……。

で、課題を与えられた絢は首をひねってた。カーテンから差し込む陽《ひ》の光を浴びて、その髪がサラサラと輝いて見える。

「ともだち」

まるで未知の単語を聞いた異星人みたいだ。

美しすぎる異星人は、あたしの頬《ほお》をちょんとつっついてきて。

「友達って、どうすればいいの？」

「まじで？　そういうレベル？」

「私なりに答えはあるけど、鞠佳の求めるレベルは高そうだから」

どうなんだろ。でもまあ、それはそうなのかも……？　わかんないけど。

「だったらまずは、悠愛とか知沙希とうまくやってもらいたい、かな……。あのふたりと友達になってくれたら、自由行動とか卒業旅行とかに誘いやすいし。学校でも一緒にいられる時間が増える、と思う」

「ん」

「そのためには、まず身だしなみもきちんと……って、それは問題ないか」

振り返り、上から下まで絢を眺める。

いつもどこで服買ってるのか知らないけど、どうせいい店に違いない。きょうはシュッとしたシャツとレースのキュロットスカート。大人びたコーディネートは大学生どころか、社会人にすら間違えられそうだ。

絢はいっつもキレイだし、かっこいい。憎たらしいほどに。

「正直いろいろめんどくさいこともあると思うけど、女子グループってそういうものだからねー……。あたしも協力はするけど、結局は絢次第かな」

「わかった」

絢はこくりとうなずいた。

ふたりきりの部屋に、絢の宣言が小さく響く。

「がんばるよ」

「……ふぅん」

あたしは振り回された腹いせに、受験生みたいな真剣な眼差しを茶化《ちゃか》してやる。

「学校なんて、勉強しにいくところだって言い張ってたのにね」

「そのきもちは、今でもかわってないけどね」

絢はまたあたしに抱きついてきた。ちゅっちゅっと湿った音を鳴らしながら、あたしの首にキスの雨を降らせる。くすぐったい。これぐらいじゃなんにも動揺しなくなったあたしも、だいぶ毒されてる。

ただ、次の言葉にはけっこうドキッとしてしまった。

「学校には、鞠佳がいるから。鞠佳が好きなものを、私も好きになりたいの」

「え？　……そんな理由なの？　そ、そっか」

絢のまっすぐな想《おも》いに、自然と顔がほころんでしまった。

なんか……ちょっと……いや、かなり、嬉《うれ》しいかも。

あたしは学校が好きで、絢は学校に興味ないって言ってたから、別にそれはそれでゼンゼンよかったんだけど……。絢は変わろうとしてくれてるんだ。あたしが絢に出会って、世界が大きく広がったみたいに。

あたしはいつものメンバーの中に絢が混じってるところを想像してしまう。それを叶《かな》えるために乗り越えなきゃいけない壁はきっといくつもあるだろうけど……。

でも、実現できたら、きっと、すごく楽しいだろう。今でも楽しい学校が、今より何倍も、何十倍も楽しくなっちゃうかもしれない。

うん、やっぱり嬉しい。

あたしのために努力してくれると言った絢の頭を撫でてあげる。

「いい子いい子」

絢はきょとんとした顔で、あたしを見つめ返してくる。

「なにそれ、誘ってる？」

「違うし！」

どんなときも、絢の頭の中はピンク色だった。こいつめ。

「じゃあ……百日間ぐらいであたしのグループに馴染《なじ》めるように、がんばってね、絢。あたしもサポートするからさ」

ふふっと笑いながら言ったあたしの言葉に、絢は。

「百日間もいらないよ」

柔らかな唇が、あたしの唇をついばんできた。

間近で光り輝くお月さまみたいな微笑《ほほえ》みに、あたしの頬が熱くなる。

「鞠佳がいてくれるんだもの。三十日あれば、じゅうぶん」


というわけで、大口を叩いた絢だけど、あたしは『さすがにムリでしょ』と高をくくってた。

絢がどんなに美人でも、学校には学校の社会がある。中学二年生以降、その関《かか》わりを絶ってきた絢が、一ヶ月でいきなりトップグループに乗り込んでこようなんて、ムリな話だ。

ま、チャレンジするだけチャレンジして、あたしの凄さを思い知ってくれたらいいんじゃないかな、なんてあたしは楽観的に考えていた。

しかし、あたしはまだまだ自分の恋人を、不破絢を見くびってたのだった。

ARIOTO

onnadoushitoka ARIENAIDESYO to
iiharuonnanoko wo hyakunichikan de
TETTEITEKINI otosu yuri no ohanashi

おはよー、とあたしはみんなに声をかけながら、席へと向かう。

うちの女子校は、偏差値はそこそこだけど、おおらかな校風が特徴的だ。髪の色やピアスが自由だったり、お化粧の規則もユルめ。あと制服がかわいい。

それだけに、集まってくる生徒も割とそっち方面目当てのやつらが多い。要領はよくて勉強はできるんだけど素行が悪かったり、中学時代に扱いづらいと思われて内申点が振るわなかった生徒、みたいな。

あたしもそのひとりだし、絢《あや》も絶対そうに違いない。なかなか個性的なメンツが多くて楽しい学校だ。

「おはよ、マリ」

「おっはよー、まりかー！」

先に来てた松川知沙希《まつかわちさき》と三峰悠愛《みつみねゆめ》が挨拶《あいさつ》してくる。ふたりはあたしの友達。いつも一緒にいるので、三人まとめて、いわゆる『鞠佳《まりか》グループ』と呼ばれてる。

知沙希は背が高くてクールな毒舌キャラ。悠愛は笑い上戸でかわいいいじられキャラ。そしてこれは最近知ったことなんだけど……。

このふたりはなんと、女同士で付き合っていたりします。なんだってー！

しかも一年生のクリスマスから。そのときすでに、あたしはふたりと友達だったわけで……。

初めて聞いたときはめちゃくちゃ驚いたけど、でも友達ふたりが幸せそうならいいかなって。

女同士で付き合ってるのをあっさりと認められたのは、あたし自身、心境の変化があったからなんですけども……。

ふたりにはいつまでも仲良しでいてほしいと願いつつ、しいて言うなら、別れるときは円満に別れてほしいなーと思う。痴情のもつれでグループ解散とか、嫌だしね……。

まあまあ、そんなネガティブな考えは笑顔の金庫に閉じ込めといて、と。

「てゆか、昨日のインスタなんだけどさー。あれさすがに盛り過ぎじゃない？」

ふたりに会うなり、あたしはニコニコと新鮮な話題を提供する。

この辺りのスピード感も、あたしが人気者である理由のひとつ。誰《だれ》だって、自分のしたことにリアクションを求めてる。それをうまーく突っついて面白《おもしろ》くするのが、あたしの得意技。

「確かに、わたしもそう思ったな」

「悠愛ってそもそも自撮り下手だよね。構図と表情一個しかないの？　みたいな」

「わかるわかる」

「ふたりともひどくない⁉」

早速悠愛をいじって遊ぶあたしたち。教室の一角がガヤガヤと盛り上がり、笑い声が響き出す。あーうるさいうるさい。

と、そうして盛り上がってるところに、絢が登校してきた。

学校での絢はまさしく静寂の女王。あたしよりずっと明るく染めた髪は存在感抜群なくせに、絢自身は雪の日の夜みたいに静かだから、周囲の人は自然と声をひそめちゃったりする。絢はなんにもしてないのに。

で、それがウザいって絢を嫌い抜いてる子はけっこういるんだけど、面と向かって彼女を批難できる生徒はいない。絢に逆らうことは許されない『空気』があるからだ。

どのグループにも所属してないくせに、クラスの空気を従えた絢は、誰にとっても目の上のたんこぶだった。……以前のあたしにとっても。

今はどうかというと？　まあ、うん。いやもうちょっとクラスに馴染《なじ》む努力をすればいいのに、とは思うけど。

きょうも美人を振りまく絢を眺めつつ、あたしは昨晩の電話の内容を思い出す。

ベッドで寝転びながらの、作戦会議だ。

『クラスメイトを全員覚えろとは言わないから、そのかわりに目立つ生徒を何人か把握しておくこと』

『……それ、鞠佳の友達になるために、必要なの？』

『当たり前でしょ。うちのグループの一員がトラブルメーカーじゃ困るもの。ヘンな行動されたら、悠愛や知沙希にも迷惑がかかっちゃうんだから』

『……ん、わかった』

ちょっと厳し目に声を出すと、絢は素直にうなずいた。

前回の、絢があたしを徹底的に落とすと言い放ったときとは、逆の立場だ。あたしは意識的に絢のマネをしつつ、電話越しに見えないけど一本指を立てた。

『それでは第一段階です』

『第一段階』

『第四段階まで考えておいたから。そこまでいけば、ようやくあたしたちは自他ともに認める友達同士ってことで』

『……先が長いね』

『がんばって。で、うちのクラスであたしと絢以外にマークしといたほうがいい生徒は三人かな。例えば──伊藤夏海《いとうなつみ》』

夏海ちゃんは女子バドミントン部の部長だ。成績もよくて、面倒見のいい体育会系な優等生タイプ。クラス委員長もやってて、同い年なのにお姉さんみたいな雰囲気がある。声がでかいので、どこにいてもわかる。

『だいたいいつも、食べ物の話とかしてるかな。あたしとはジャンルが違うけど、仲はいいよ。といっても、あたしはみんなと仲いいけど』

『そうだね、鞠佳はすごいね』

『う、うん。まあすごいけど……』

なんか猫かわいがりされてる気がする……。

『次に、西田玲奈《にしだれいな》。こっちは目立つ子で、モデル事務所に所属してるパリピ。めっちゃクラブとか通ったりして、カメラマンの彼氏がいるらしいよ』

西田は芸能関係の話題に強いし、知り合いに頼んでライブのチケットとかもらってきたのを友達に配ってたりする。豪快なアネゴ系。西田グループは圧あるので、一応クラスの最大勢力って感じかな。

『ただ西田って一年の頃に知沙希とやりあったらしくて、そこが仲悪いから、うちのグループとはあんまり話さないかなー……。もちろんあたしとは話すけど』

『前の席だから西田さんはわかるよ。スタイルいいし、きれいな人だよね。もちろん、鞠佳がいちばんだけど』

人の話聞いてるのかなこいつ。ただあたしを褒めたいだけでは？

『最後に、白幡《しらはた》ひな乃《の》。原宿のお店でカリスマショップ店員やってるっていう、マジでガチなギャル』

ひな乃はどこに地雷があるかわかんない取扱い注意な爆弾みたいな子だけど、普段はボーッとしてるから人畜無害で、意外と優しい。こないだアメくれたし。

『名前は知ってる。顔はどの子かわかんないけど。ああ、あのぽわぽわしてる子か』

まあ天然っぽいから、絢とは気が合うかもね……。

あと警戒する必要があるのは知沙希ぐらいだけど、あいつはうちのグループで絢のことを苦手に思ってるから、大丈夫そう。いや、絢がうちのグループに入りたがってるなら、ぜんぜん大丈夫じゃないんだけど。

てゆー感じで、つらつらと説明してあげたのが昨日のこと。

そして本日の絢はというと。

学校にやってくるなりいきなり、「おはよ」と挨拶をしてきた。

あたしたち鞠佳グループの三人に、だ。

悠愛はぽかんとして、知沙希は慌てて「お、おはよ」と返す。あたしは戸惑いながらもとっさに「おはよー」と明るく返した。

それだけならまだしも（まだしも？）、絢は自分の席に向かいながらも通りすがるクラスメイトたちみんなに「おはよ」と声をかけて回ってた。

『静寂の女王』の奇行に、みんな表立っては普通にしてるけど……。

「……なにあれ」

悠愛が率直《そっちょく》に首をひねる横、知沙希があたしを見る。

「マリの差し金？」

「いや、そんなわけないし」

知沙希はいつも鋭い。でも別に、あたしが挨拶しなさいって言ったわけじゃない。

あたしが最初に出した課題は『クラス全員の顔と名前を覚えること』だった。

絢ってば、同じクラスで名前知ってるの四人ぐらいしかいなかったからね。もう九月だぞ。

なにはともあれ、人間関係。空気を読むってのは、そこから始まるものだから。

だけど、絢は急に行動を起こしてきた。

絢がどういうつもりなのかわかんないけど、挨拶されてヤな気分になる人はいないだろうし、いいんだろうか。

「占いで、挨拶が吉、とか出たのかなー……？」

「あの不破《ふわ》が占いに一喜一憂するの、想像できないだろ」

確かに。あたしは机に頬杖《ほおづえ》をつく。

「でもま、いいことなんじゃない？　なにがあったか知らないけど、今までの我関せずって顔でしらっとしてるよりは、さ」

「まあ……」

「そうかもだけど……」

悠愛と知沙希は微妙な顔をしてた。

……これは苦労するかもね、絢……。

絢は帰りも「じゃあね」と挨拶をしてきた。絢がきょう学校で授業中以外に発言したのは、その二言だけだった。

あたしはまるでお母さんみたいにハラハラしてしまう。なにを考えてるのかわかんないけど、本当に大丈夫かな！


あれから三日経《た》ち、絢との約束まで残り二十七日。

「おはよ」と挨拶をしてきた絢。そこまではいつもの朝の風景だったんだけど、きょうはいつもと変わったことがあった。

「あれ？」って、悠愛が声をあげたのだ。

悠愛はいつもそうだけど、微妙にあざとく見える感じで絢の通学鞄《つうがくかばん》を指差す。そこにはヘンなストラップがぶら下がってた。

「それ、ベンジャミンバロッくんじゃない？」

「うん」

「あ、ホントだ。不破も好きなんだ？」

知沙希まで話に加わってきた。あたしだけ知らない。トレンドに乗り遅れてる。えっ、悔しいじゃん。

「ベンジャミン・バロックって、えーと、観葉植物の？」

「違うよ。『見守るシリーズ』の観葉植物くんだよ。ほら、あたしのはガジュマルくん。かわいいでしょ！」

悠愛にストラップを見せられた。鉢植えに入った観葉植物に顔がついてる。

うん……かわいくは、ないかな。

「そういうの電車に乗ってると取れちゃわない？」

「いやいやナイナイ。それは扱いが雑だからだよ」

「えー、そっかなあ？」

そこで絢が大真面目《まじめ》にうなずいた。

「うん。大切に扱っていれば、なくさないよ。私これ四個目だけど、あと五つあるから平気」

「なくしてんじゃん！」

全力で突っ込んでしまった。悠愛があははと爆笑してる。

「じゃあ放課後、マリの分の観葉植物くん買いに行く？」

知沙希が提案してきた。あんたきょうバイトなくて暇だからでしょ。

けど、これはいい流れだ。すぐに乗るよりも、もうワンテンポ遅らせたほうがいい気がしたので、今のキャラを続行。渋面を作る。

「えー……なんかシュミじゃないんだけど」

「かわいいのいっぱいいるよ。モンステラくんとかポトスくんとか！」

「いや名前で言われてもわかんないけど。ていうかなんで観葉植物なの？　こっち見てくるのこわくない？」

「あーあ、まりかはこのかわいさがわかんないかー。人生の十割損しちゃってるなー」

「あたしの人生、虚無呼ばわり!?　わかったってば、行くよ、行く行く！　行くから！」

とまあ、自然な流れで押し切られる。

ちらりと絢を窺《うかが》う。ここであたしが絢に「一緒に行こ」って誘うのは簡単なんだけど、でも、それをしていい空気かどうか。慎重に判断する。

悠愛は爆笑して和《なご》やかなムードだけど、知沙希はどうなんだろ。絢が一緒に行って、つまんない思いをしないかなー……。

その知沙希が口を開く。

「じゃ、不破も一緒に寄る？」

ち、ちさき～～～！

空気読める子！　いい子！　さすがあたしの友達！

知沙希の切れ長の瞳《ひとみ》に見つめられて、絢はぱちぱちとまばたきを繰り返す。あ、ちょっとびっくりしてる。かわいい。じゃなくて。あたしがのろけててどうすんだ。

絢はすぐに、野良猫《のらねこ》みたいなふてぶてしさを取り戻し、うなずいた。

「いく」

そういうことになりました。

放課後。絢を連れ立って四人で下校するのは、ヘンな気分だった。どんな仮面をかぶればいいかわからなくて、自分の足元がグラグラ揺らいでいる感じ。

晩夏から初秋にかかる季節。風は涼しく天気はよくて、まだまだ陽《ひ》は高い。

先頭を歩くのは知沙希と悠愛で、絢はあたしの横にいた。

とりあえず友達向けの顔で、絢と当たり障りのない話題を紡《つむ》ぐ。

「不破さ、あの観葉植物、ホント人気なのー？」

「そうだよ。ご利益があるって話」

「ガチャガチャ一回二百円の観葉植物に、なんのご利益があるっていうの」

「んー……恋愛成就、とか？」

絢がハチミツをすくうみたいに、あたしの小指をするりと撫《な》でてくる。

待って待って。あたしは口に出さず、顔の前に人差し指でバッテンマークを作った。

ダメですってば。ふたりが振り返ってきたら、バレちゃうでしょ。

「……なんか、こういうの」

「フラストレーションたまる?」

「ううん」

小声で問うと、絢は首を振った。

「おあずけされてるみたいで、ちょっと興奮する」

「ヘンタイ……」

グループ内であっても、絢は平常運転であった。

「そういえばさ」と知沙希が振り向いてきた。ひっ、間一髪。ドキドキ。

「不破とマリって、帰りの電車が一緒なんだって?」

「あ、うん、そう。ね、不破」

知沙希がカラッとした笑みを浮かべる。

一方で、微笑《ほほえ》みながらもあたしはハラハラしていた。

これは知沙希による、グループ入団試験みたいなものだ。

日常会話の受け答えによって、フィーリングが合う相手なのか合わない相手なのか判断する、っていうアレだ。社会はこわいのだ。

まあ、よっぽどマイナス点を叩《たた》き出さない限りは、ちゃんとフォローするから……。がんばって、絢……。

幾通りのパターンを考え、用意しておく。

対する絢は、というと。

「うん、鞠佳にはいつもお世話になっております」

ファーストネームの呼び捨てに、悠愛と知沙希は『おっ』という顔をする。

だけど、本当にビックリしたのはその先だった。

「鞠佳とは、真剣にお付き合いさせていただいておりますので」

止める暇もなかった。

「──ちょっ！」

なに言い出してんの⁉

絢だからよっぽど外したことは言わないだろうと思いこんでたあたしは、頭が真っ白になった。ここでバラすとかなくないか不破絢⁉

頭が熱くなる。けどあんまりムキになるのもダメな気がするし、ああもう！

あっ、そうだ！　冗談でごまかそう！

「お付き合いって、あたしたちが付き合ってるみたいじゃん！　違うよね、ほら、たまに雑貨屋とかに付き合ってあげたりとか、そういう意味だよね！　ねー！」

「ああー、なんだそういうー。あたし焦《あせ》っちゃったーあははは」

と、あたしの強引《ごういん》すぎる軌道修正に笑ってくれた悠愛に対し、いや、と絢は手を仰《あお》がせた。

まさかお前。

「恋人同士って意味で」

「こらぁーー！」

その追い打ち容赦なさすぎでは⁉

気づけば、知沙希がめちゃめちゃ笑ってた。

「はー、アンタたちめっちゃウケるじゃん。なにそれ、コントかなんか？　あらかじめ打ち合わせしてたの？」

「したことないし…………ちょっと不破。急にヘンなこと言い出さないでよ」

睨《にら》みつける。

「私、かんがえたんだけど」

「う、うん」

今度はなに……。

「鞠佳との関係を黙ったまま付き合うのって、なんだか不誠実だから、せめてこのふたりには話したほうがいいと思う」

「あ、絢ぁ！」

めいっぱい怒鳴る。メガホンでもあれば、鼓膜に直接叫んでやりたい気分だった。

「空気を読む力をどこに忘れてきたんだ！　あんたも一応女子高生でしょ！　人の間で生きるからこその人間でしょう⁉」

「だから、ちゃんとクラスでは『榊原《さかきばら》さん』って呼んでるよ」

「あんたの譲れる範囲、そこまで⁉　狭すぎない⁉　自分の心に正直に生きすぎでしょ！」

なにもかもがパーだよ！　あたしの、ちょっとずつ絢を売り込んでいく計画がさあ！

やはり知沙希は笑ってた。

「あーごめんごめん、でも、ぶっちゃけ気づいてたよ、マリ」

『え！』

悠愛とあたしの声が重なる。

な、なんだって……。

「わかるに決まってんじゃん。保護者みたいにソワソワしてるかと思えば、不破がこっちに話しかけてくるし。だいたい、前から怪しかったんだよ。だから、昼休みに聞いちゃったよ。そしたら不破、マジ素直に全部ぶっちゃけてくれたし」

は、聞いてない……監督不行き届き……。

「な、な、な、なんでそんなこと……」

「鞠佳の友達だから」

絢は、それがなにか？　という澄まし顔をして言う。

「きっといい人だと思って」

「ん～～～～～～、確かに知沙希はいいやつだけど！」

理由が理由だから、面と向かって怒りづらい！

これが悠愛なら『ワンチャン言いふらすかもしれないでしょ！』って言えるけど。いやさすがに言えないけど！

握った拳《こぶし》の振り下ろしどころがなくて、あたしは憤りを抱えたままぷるぷると震える。ちゃんと綿密に計画立ててたのに……。こんちくしょう……。

悠愛はなぜか胸元《むなもと》で手を組んで、乙女みたいに目をキラキラさせてた。

「えー！　よかったじゃん、まりか！　彼女できたんだ！　まりかかわいいから、ぜったいにできるって思ってたよ！　すごいすっごい、マジおめでとー！」

誰が相手でもいいのか、この恋バナ大好きっ子は。

真っ向から祝福されて、あたしは鼻白む。

「えー……でも、その……相手が、不破絢だよ？」

あたしは友達の顔色を窺ってた。

そう、なによりも言い出せなかった原因の話。

「ふたりとも、絢のことニガテにしてたじゃん。それを言うならあたしもだけど……。だから、百日ぐらいかけて、少しずつ絢の良さを伝えていこうって思って、いろいろと考えててさ……」

「こーら」

「あいたっ」

知沙希にどつかれた。

「そら確かに、不破のことはいけ好かないやつだと思ってたよ。中学一緒だったのに、わたしの顔も覚えてないしよ」

「ごめん、人の顔はすぐ忘れちゃって。でも大丈夫。名前はなんとなく覚えてた」

「ムカつくやつだなあ！　正直に言ったから許してあげるけどさ！」

バシバシと絢の背中を叩《たた》く知沙希。その様子を、あたしはまたハラハラしながら見守ってる。だ、大丈夫かな……。ケンカとかやめてほしいんだけど……。

「でもさ、マリ」

「は、はい」

「あんたが誰と仲良くしようが、誰と付き合おうが、それでハブったりとかしないって。だって友達じゃん。それぐらい大事に思ってなきゃ、わたしと悠愛のこと、あんたに打ち明けたりしないから」

そうだ、先にあたしのことを信頼してくれたのは、知沙希のほうだった。

友達が急にマジメなことを言い出すものだから、あたしはうるっとしてしまった。

「ち、知沙希姐《ねえ》さん〜〜〜」

「ぎゃ、うっとうしい」

「もちろん、あたしも同じ気持ちだよ、まりか」

「悠愛〜〜〜」

「おーよしよしよし」

悠愛の胸に抱かれて泣き真似《まね》をする。絢に引き剥《は》がされた。

「鞠佳はこっち」

「絢〜〜〜……ってあたしが悩んでたのも全部あんたのせいでしょーがぁ！」

「よしよし」

がるるるると牙《きば》を剝《む》くあたしの顎《あご》とかを、絢が余裕げに撫でてくる。

む、ムカつく……。

「ラブラブじゃん」

知沙希に笑われた。笑われてばっかりだ。

「そんなことまったくないし……」と言いかけたところで、絢が「ラブラブだよ」って平然と言い張った。あたしの顔が赤くなる。

こら、なにどさくさに紛《まぎ》れてあたしを抱きしめてんのよ。絢を押しのける。

「っつーわけで、不破も明日からうちらのグループってことで、いいよね、悠愛」

「うん。あたしもお喋《しゃべ》りしてみたいって思ってたし。だって、まりかのカノジョでしょ？　普段どんなことしてるのか、気になる～！」

「いやいやそんな大したことは……してない、っていうか……あーもう！　なにこれ、ハズすぎるんだけど！」

わーわー叫ぶと、知沙希と悠愛に笑われた。でもそれは、まるで微笑ましいものを見るような、幸せそうな笑顔だった。

今まで恋バナは相談を聞くばっかりだったから、自分が当事者になるのは初めてで、ただただ照れる。背中が熱い。

「絢ぁ……」

「いい友達がいて、よかったね」

「そ、そうね……。感動の涙に溺《おぼ》れそうだわ……」

なんで絢があたしをたしなめているのかホントわかんないけど……いい友達であることは間違いない。こんなにも簡単にあたしと絢を受け入れてくれたんだから。

まあ、その速度にぜんぜんついていけないんだけどさ！

そんな話をしてるうちに、イオンに到着した。一階のコーナーで、お目当ての観葉植物くんのガチャを回す。もうガチャとかほんとどうでもよかったけど、回して出てきたのはベンジャミンバロックくん。絢とお揃《そろ》いのだった。

「一緒だね、鞠佳」

「う、うん……」

『お揃い～～～』という顔で、ニヤニヤとこっちを見る知沙希と悠愛の視線が突き刺さり、喜ぶどころじゃなかったけどね！


「は～～～～～～～～～～……」

ふたりきりになった帰りの京王線。あたしは肺の酸素をぜんぶ吐き出すみたいな、長いため息をついた。

「あんなに冷やかされるとは思ってもみなかった……。あやうく冷やかされ殺されるところだった」

「ふたりとも嬉《うれ》しいんだよ、鞠佳にすてきな恋人ができて」

「それ自分で言っちゃう?」

辺りには下校する学生たちがたくさんいた。並んで座席に座る絢をじっと睨む。睨まれてなお、涼しい顔をする絢は浮世離れした美人だった。憎たらしい。

「どうするのよ、『再来週ダブルデートしようよ。すごい青春っぽいじゃん?』なんてお誘い、気軽にオッケーしちゃってさあ」

「誘ってくれてありがたいな、って思った。あと、あのふたりも付き合ってたんだな、って」

確かに、楽しそうだけどさ。でも、それより心配が勝った。

「友達の目って厳しいんだからね。絢があたしの恋人にふさわしくないって思われたら、知沙希なんて手のひら返してくるんだから。さぞかし冷たくされるよ。取って食われちゃうかもね。がぶー！　って」

どうせ言ったって半分も聞きやしないんだから、と強めに脅す。

そこはいつもどおり自信満々に『大丈夫だよ。だって私は鞠佳にふさわしいから』って言ってくるんだろうと思っていたら、意外にも顎に手を当てて真剣な顔をされた。

「そっか。じゃあがんばらないと」

ちょっとだけ、あたしの怒気がくじかれる。

「う、うん……」

まあ、もともとそんなに怒ってはいなかったけどさ……。うまくいったし。

だからどっちかっていうと、これは拗《す》ねてるだけ。

「しかも絢、あたしの計画をゼンゼン守ってくれる気、なかったみたいだし……」

「ごめんね」

「悪いと思ってないでしょ」

「思ってはいるよ。鞠佳、私のためにがんばってくれてうれしいな、えらいな、かわいいな、って。それはそうと守る気なかったけど」

「ぐぬぬ……」

悪びれもせずに堂々と言われると、これ以上問い詰めるのが馬鹿《ばか》らしく思えてくる。

ぽんぽんと、頭を撫でられた。

絢の微笑みは、女の子を手のひらの上で転がす小悪魔のもの。まったくもう……。

「おわびに、ケーキ買ってあげるから」

「……駅前のシルブプレのオレンジムース」

「いいよ。うちで食べよ」

絢の部屋かあ……。

ガタンゴトンと揺れる電車の中。あたしは不機嫌を隠さずに口を尖《とが》らせる。

「いいけど……そのかわり」

「えっちはしない、って？」

絢があたしの手を握りながら、顔を覗《のぞ》き込んでくる。

違います。首を振る。

隣の絢にだけ聞こえるように、頰《ほお》に手を添えてささやく。

「……そのかわり、ちゃんといっぱい、きもちよくしてよね」

恥ずかしくて、絢を上目遣《うわめづか》いに見つめる。

「なんか今、めちゃくちゃ冷やかされて、そういう気分になっちゃってるから……ぜんぶ絢のせいだからね、もう」

ふたりきりになったから、心のタガが緩《ゆる》んだのかもしれない。

ぶっきらぼうに告げると、絢はふふっと笑って。

「……うん、がんばる」

繋《つな》いだ手が、さっきより強く握りしめられた。

まったく、絢はほんとずるいんだから。


絢の部屋。ケーキを食べ終えた甘い舌が、あたしの唇を薄く舐《な》める。

そのままがっついてこられるのかと思ってたら、絢はあたしの隣にゆっくりと腰を下ろした。

制服のミニスカートから伸びた脚に、ぴったりと脚をひっつけてくる。

絢の脚はシミひとつなく真っ白。脚線美とは言うけれど、脚まで美人とはこれいかに。すらり細くて、しっとりと肌に貼《は》りつくみたいだ。

「いい人だったね、あのふたり」

「うん……。あたしも知らなかった。ずっと友達だと思ってたのに、あんなに思いやりがあって、優しかったなんて」

知沙希も悠愛も、一年生からの付き合いだ。なのに、あたしはあのふたりの表面的な部分しか見てなかったんだな、って思うと、軽く自己嫌悪。

　いっつもニコニコ明るい鞠佳ちゃんも、絢の前ではついつい本音がこぼれ落ちる。

「あたしね、誰とでもすぐ仲良くなれるんだけど、ずっとそこ止まりだったんだ。空気読みすぎちゃうからなのかな。なんか、そこから先ってどうすればいいのか、よくわかんなくて」

「そうなんだ。なんか、意外」

「あたしなら、なんでも器用にできると思ってたの？」

「うん。思ってた」

　ちょっと噴いた。絢ってば、素直すぎ。

　あたしのこと、そんな風に見ててくれたのは、嬉しいけどさ。

　器用っていうか、あたしはただ空気読んじゃうやり方しか知らなかっただけだ。誰かとふたりで遊ぶときも、最初っから最後まで楽しいだけのことが多かったりして。それが間違ってるとは今も思ってないんだけどね。

　絢みたいな、ひとりひとりとしっかり向き合うような生き様を、前は『重い！』って一蹴してたけど、ちょっとはアリかもなんて思い始めてるあたしもいるわけで。

「だからね、嬉しいって気持ちより今、ちょっとびっくりしてるんだ。どうしてあたしなんかにあんな風に思ってくれるんだろ、って」

　自分でも情けないこと言ってるなーって思ったけど。

それはね、と絢は迷いなく口を開いた。

「鞠佳が思ってるよりも、みんなは鞠佳のことが好きだからだよ。それはきっと、今までもずっとそう。みんな鞠佳のことをだいじにしてたよ。鞠佳がそう実感できる機会がなかっただけで」

絢のあまりにも真っ直《ま》ぐ《す》な言葉に、ちょっと照れた。

「……ど、どうしてそんな風に思うの？」

「だって鞠佳、みんなに優しいし、明るくてかわいいし、気遣い屋さんだし、一緒にいてすごく楽しいし。鞠佳みたいな子が友達だったら、みんな鞠佳のことを好きになるよ。鞠佳に、なんでもしてあげたくなっちゃう。まちがいないから」

うわあ、恋人のひいき目全開だ。

熱烈なラブコールを、あたしは素直に受け入れることができない。

「……そ、そんなの、絢があたしのことを好きすぎてるからでしょ」

絢は当然でしょとばかりに、うなずく。

「そうだよ。でも、もとはといえば、それもぜんぶ鞠佳の魅力が原因だから」

ああもう、恥ずかしい。

絢のこういうストレートなとこ、好きだけど。……すごく好きだけどさ。

「なにそれ、ほんと、もう……。絢はあたしに甘すぎだから……」

「絢がかわいいから……だよ」

「鞠佳、顔あかい」

「うっさいな、もー……ばか」

カノジョの言葉で、こんなにもしっかり慰められちゃってるあたしも、ばかだけど。

絢がキスしてきた。あたしも目を閉じて、キスを迎え入れる。

何度もついばむようなキスをしてから、絢が舌をゆっくりと突き出してくる。急にしてこないのは、あたしがびっくりしないように配慮してくれてるのかも。さっきあんな弱音をこぼしたばっかりだから、とってもデリケートな口づけだ。

本当に優しいのは、絢のほうだって思う。あたしが傷つかないように、まるで壊れ物に触るみたいに大事にしてくれてる。

「……絢のこと、好き」

愛のささやきは、離れてく唇を追いかけるみたいに、自然とこぼれてた。

絢はあたしの髪を撫でながら、微笑む。

「鞠佳のことが好きだよ。愛してる」

しゅるしゅるとリボンをほどかれて、絢があたしの上着をめくる。あたしは幼児みたいにバンザイして、絢に制服を脱がされてゆく。

「鞠佳」

「ん、あや……」

甘いキスに溺れてるうちに、すっかり脱がされてしまった。

そのまま、下着にも手をかけられる。

「……最近、どうしてあたしばっかり脱がすの？」

「だって、裸の鞠佳、きれいなんだもの。それとも寒い？」

「まだ九月だし、寒くはないけど……。あたしひとりだけ、なんかハズい」

「鞠佳はきれいだからいいの」

「絢だって美人のくせに。スタイルもいいし、手足は白くて長いし。羨《うらや》ましい」

尖らせた口に、そのまま唇を重ねられる。

少し腰を浮かせば、パンツまで剝ぎ取られた。

あたしだけ皮を剝かれたリンゴみたいな、全裸のできあがり。

「うう」

こ、心細い……。

内ももをこすり合わせながら片手で胸を隠していると、絢から『それはだめ』とでも言うように両手の手首を捕まれ、やんわりと広げられた。

「きれいな鞠佳のこと、もっとみせてよ」

「ヘンタイぃ……」

制服を着た絢の前であたしだけ全裸にされてると、まるで本当にペットにでもなったみたいな気分だ。あんまり言うと、このご主人様、そのうち首輪でも買ってきそう。

「鞠佳がかわいいのが悪いんだよ」

「そんなの知らないってば……」

正面から胸をいじられながら、何度も何度もキスされる。じんじんと全身に熱い痺《しび》れが行き渡ってゆく。

徐々に絢のキスも激しさを増してきた。あたしの全部を味わい尽くすように、丁寧でねちっこいキスへと変わってゆく。心臓の音が共鳴するみたいに高鳴り、わたしはあられもなく興奮しちゃってるみたいだ。

舌の表をこすり合わされ、舌の裏を舐め上げられて。あたしがもっともっとしてほしいってなるのを見計らって、絢がちゅぱっと唇を離す。

「鞠佳、みて」

あたしの目の前で「ぁ……ぁん」と小さく口を開き、絢はピンク色の舌を踊らせる。口内で舌と唾液が絡《から》まり、ちろちろ、という音を立ててた。

その様子を見せつけられたあたしは、思わず生唾《なまつば》を飲み込んでしまう。

「ちょ、ちょっと、絢……なに、して……」

絢はあたしの耳元にささやく。

「鞠佳の舌をしゃぶるとき、私、こんなふうにしてるんだよ」

「……そ、そう、なんだ……」

「やらしい気分に、なってきた？」

「そんなの……」

……もう、とっくになってるし。

あたしは自分からキスをした。舌を突き入れて、やわやわと動かす。

絢は受け止めるばかりで、自分から舌を絡めてくれなかった。

一生懸命、絢を真似てやってみるけど、ゼンゼンうまくいかない。なにが違うのかわかんなくて、いたずらに乱暴な激しさだけが増してゆく。

「ねーぇ……あやぁ……」

絢は片手であたしを抱きしめながら、もう片方の手をあたしの女の子座りした足の付け根へと伸ばしてきた。

指が濡《ぬ》れた音を立てる。

「ひゃっ」と声をあげて、あたしは背を跳ねさせた。けれど背中を絢に押さえつけられて、どこにも逃げられない。まるで檻《おり》の中にいるみたい。こうなることがわかってて、絢は片手であたしを抱きしめてたんだ。

あたしのことを、あたし以上に知ってる絢。ついでに、キスまで中断させられてしまった。

「鞠佳、どうしてほしい？」

絢のとろんとした眼差《まなざ》しは、まるで保育士さんみたいに優しくて、あたしは園児じみた舌足らずな口ぶりで、絢にいやしくおねだりをする。

「キスぅ……キス、してよぅ……」

額に額をくっつけてきた絢が、くすりと笑う。

「キスだったら、さっきから鞠佳がしてるでしょ」

「……絢がしてくれるのと、なんか、ちがうんだもん……」

きょうは思いっきりしてほしい気分なのに。ちっちゃな悩みが吹き飛ぶぐらい、めちゃくちゃにしてほしいのに。

絢はいじわるだ。

「おねがい……。ダメ……？　絢は、あたしのおねがい、きいてくれないの……？」

「鞠佳ってば」

「ひんっ」

また強いところを刺激されて、あたしがぴんと体を反らせる。裸だから、あたしを守るものはもうなんにもなくて、全部が全部、絢の指使いの思いどおりにされる。

「また、甘えるのがじょーずになったんだから。ほんっと、やらしい」

「そんなの、知らないっ……ひうっ……ふぁぁぁ……んんっ！」

唇で唇を塞《ふさ》がれた。絢のにゅるにゅるの舌が、あたしの中に入ってくる。待ちわびたその粘膜は、期待以上のきもちよさをあたしにくれた。

これ、これがほしかったの……。

絢のキス、好き……。大好き……。

下からの鋭く強い刺激と、上からの甘く優しい刺激。両方を同時に責めあげられて、あたしの高ぶりまくった神経はすぐに限界を迎えた。

びくびくと跳ねる体を、しかし絢は抱きしめて離さない。どこにも快感を逃がすことができなくて、あたしは泳げない人が助けを求めて浮き輪にしがみつくように、ただ絢の体にすがりついた。

その間もずっと絢はあたしの快楽を刺激し続けてくるわけだから、助けどころか絢が元凶なのにね。

頭の中は酸欠状態みたいになってて、ただひとつラッキーだったのは、絢がずっとキスしてくれてたから、ばかみたいな叫び声をあげずに済んだことだ。

もしその栓がなかったら、何度だって『死んじゃう』『イッちゃう』って叫んでただろうし、『愛してる』って告白しながら絢の名前を呼んでただろう。

それからもずっと、絢はあたしの体を激しくもてあそんで、きもちよくしてくれた。

あたしが望んだそのとおりに……ううん、それ以上に応《こた》えてくれたのだった。

時計を見たら、一時間ぐらい経ってたみたいだ。

終わった後、絢はいつの間に用意してたのか、新品のタオルで汗だくのあたしを拭いてくれたり。頭を撫でながら「よくがんばったね。すごくきれいだったよ」と褒めてくれた。

「えへへ……あや、すきぃ……」

あたしは幼稚園児どころか、赤ちゃんみたいな顔で、ずっと絢に抱きついてた。

でもね、いくらあたしが『きもちよくして』って媚《こ》びたからって、幼児退行しちゃうぐらい責めるのってどうかと思うよ……。

「ちゃんときもちよくなれたね。えらいね、鞠佳」

「うん……絢のおかげ……絢、大好きだよ……」

頭を撫でてくれる絢に、あたしは心とは裏腹に屈託《くったく》のない笑顔を向けた。

素直なあたしと、素直になれないあたし。どっちも本当のあたしだけど……でも、今は素直な態度になっててあげる。

……だって、そっちのほうが、嬉しそうにしてくれるんだもん。

あたしだって、されるばっかりじゃなくて、ちゃんと絢を嬉しくさせてあげたい。だから、意地っ張りなあたしも少しずつ、絢のために変わっていくんだ。

……今はまだ素直になれるのって、せいぜい、えっちのあとぐらいだけどさ。

　というわけで、再来週は知沙希と悠愛のカップルと、ダブルデートに行くことが決まってた。どうなるかわからないけど、あたしの恋人は絢だ。あたしよりも一回りも二回りも上手《うわて》な絢なら、うまくいくに決まってる。

　それまでせいぜいアルバイトをがんばって、ちゃんと軍資金稼いでおかなきゃね。

ARIOTO

onnadoushitoka ARIENAIDESYO to
iiharuonnanoko wo hyakunichikan de
TETTEITEKINI otosu yuri no ohanashi

第二章

「おはよ」と、いつものように絢《あや》が朝の挨拶《あいさつ》をしながら、教室に入ってくる。

月曜日から始まったこの恒例行事も、金曜日のきょうにはなんだかもう、すっかり馴染《なじ》んでるように見えた。

けど、絢が席に鞄《かばん》を置いて、うちのグループの雑談に加わると、またクラスの雰囲気がざわっとするのを感じた。まるで不意の転校生がやってきたみたいだ。

「やっほ、不破《ふわ》」

「うん」

まあ、あたしと絢が手を組んだとなれば、もはやここはクラスの最大勢力になっちゃうわけだからね。まさか秋に入ってから、勢力図に大きな変化があるとはふつー思わないじゃん。

西田玲奈《にしだれいな》とかには警戒されちゃうかも。

で、案の定。授業前にお手洗いへと抜け出したところで「ちょっと」と捕まった。

相手は……げ、白幡《しらはた》ひな乃《の》だ。

こいつは長い髪を青に染めるという、生活指導もびっくりの離れ業で学校に通ってる鬼の白ギャルである。

トイレの前、人気のない廊下へ連れ出される。ひい。シメられる。

誰《だれ》よりも平和に学園生活を送りたいと思ってるあたしが、なんでこんな目に遭わなきゃいけないのか……。せめて舐《な》められないように虚勢を張って胸を突き出す。

「てか、ひな乃。朝からいるなんて珍しいじゃん」

「出席日数は計算してるから。出る日は出る」

ちっちゃくダブルピースされた。

ひな乃のパンクな髪は、絢とは違う方向で目立ち倒してる。てか、やばいやつだと思われてる。身長は150センチちょっとしかなくて、こんなちっちゃいマスコットみたいな細さなのに、うちのクラス一の武闘派がひな乃なのだ。

「……」

「な、なに?」

魚みたいな生気のない目で、じーっと上から下まで見つめられる。見るのはいいけど意図を言って意図を。

「あの……トイレ、行きたいんだけど」

「仕方ない」

ひな乃はおもむろに肩をすくめた。だからなにがだ。

「鞠佳《まりか》の顔面も美形だし気に入ってたけど、相手ができたんじゃね」

「え！」

あたしは目を剝《む》く。美形って言われたことに喜ぶ暇もない。平常心とかだいぶムリ。

「ど、どういう意味よ、それ。なんで急に、そんなこと」

も、もしかして絢のことバレてる……？　あたしってそんなにわかりやすい……？

けっこうショックなんだけど……。

ぽふぽふとひな乃に肩を叩《たた》かれる。その訳知り顔はなによ……。

「絢に飽きたらいつでも言って。年中無休でセフレ募集中だから。ただし、顔がいい女の子に限る」

「は、はああああああ⁉」

な、なに言ってんのこの白ギャル！　セフレって！

「ちょ、おかしいんじゃないの！　あんた！」

「よく言われる。でも鞠佳こそ、気をつけたほうがいいよ」

「……あんたの動向に？　それ脅し、的な……？」

あたしは自分で自分の体を抱く。ちょっと、やめてよね！　こ、こっちには武道習ってる絢がついてるんだからね！

「違う違う。前から思ってたけど、鞠佳ってなんかそういう、人を惹《ひ》きつけるオーラ漂わせてるから」

それはつい先日、絢に言われたばっかりのことだ。鞠佳は同性愛者を引き寄せるフェロモンが出てる、って。

なんだよそれ。げんなりする。

「ないからそんなの……。てかそもそも、女同士でしょあたしたち……」

「その言い訳にはなんの意味もないってことを、榊原《さかきばら》鞠佳はとっくに知ってるのであった」

「不穏なモノローグ入れるんじゃない」

まあ、絢とかひな乃とか、ヘンなやつに好かれる傾向はあるかもだけどさ……。

「え、あんたそっち系なの？」

「さて、どうかな。ああ、でも安心していいよ。相手がいる子に手は出さないから。主義に反するし」

「セフレとか言い出す相手に、なにをどう安心しろと……」

うめく。正義のギャル気取ってるんじゃない。

ひな乃はどこを見てるのかわからない感じで遠くを見つめつつ、顎《あご》に手を当てた。

「ま、この先、一途なキャラでいくか、とっかえひっかえできる遊び人のネコでいくかは、鞠佳次第」

「なんだその二者択一」

キラリとひな乃の目が光る。

「後者になったら、そのうちあたしとも付き合ってね。優しくしてあげるから」

「ならんならん。てかあたしがされるほうなの⁉」

「けっこううまいって評判だよ。一口、味見されてみる？」

「みません！」

まったく、ろくでもないことを言って……。

そこでひな乃がリュックを背負ってることに気づいた。

こいつまだクラスに行ってなかったのか。

「そろそろチャイム鳴るよ、急いだほうがいいんじゃない？」

「うん、ありがと。でも目をつけてた鞠佳も取られちゃったし、やる気ないから帰る」

「出席日数、計算してるんじゃなかったのかい！」

こんなんでも入れるうちの高校、本当に自由だなあ〜〜って思う。

＊＊＊

やばい女、白幡ひな乃にそんなふざけた話を持ちかけられた日の放課後。

舌が溶けるぐらい甘いキャラメルフラペチーノを片手に思いっきりグチりたい気持ちを我慢

して、あたしは家から二駅離れたファミレスに来てた。

「いらっしゃいませー」

来てたってか、バイトである。

始めたのは夏休みの終わり頃。なので、働いてようやく一ヶ月ぐらいかな。

最近ではフロアに出るときも緊張せず、自然なスマイルを浮かべられるほどの慣れっぷり。

高校入って三つ目のバイトだけど、ここはなんとなくあたしに合ってる気がするなあ、なんて。

というわけで、きょうもがんばる新米ウェイトレス鞠佳。自動ドアが開いて入ってきたお客さんの下へ、ててて、と近づきながら、朗らかな笑顔を浮かべる。

「いらっしゃいませ、何名様ですかー？　……って」

「一名」

指を立ててやってきたのは、絢だった。学校帰りにそのまま寄ってきたらしい。つい先ほどぶりですね。わざわざ電車に乗ってやってきてくれるなんて、あたしの熱烈なファンだこと……。

「……どうぞこちらの席へ」

駅前とはいえ、晩ごはん前の時間帯なので、店内は閑散としてる。絢を二名がけのテーブルに案内し、あたしは憮然《ぶぜん》と彼女を見やる。

「……ご注文がお決まりになりましたら、お手元のチャイムを鳴らしてお呼びください」

「アフタヌーンティーセットで」

日替わりデザートと紅茶のセットメニュー。つまりは『いつもの』だ。

「……かしこまりました」

「その制服、かわいいね」

「毎回それ言うよね、絢」

まあ、あたしもこの店に決めた理由の半分は、この制服だけど。

淡い青でまとめられたギンガムチェックのエプロンスカートと、白いブラウスが印象的な、清潔感たっぷりの制服だ。普段短いスカートばっかりはくあたしが膝下《ひざもと》の丈っていうのも珍しい。

絢はテーブルに頬杖《ほおづえ》をついて、昼下がりの猫のようなとろんとした眼差《まなざ》しであたしを眺める。

「今度もって帰ってきてよ」

「……ヘンタイ」

「おうちで、撮影会しよ？　って思っただけなのに。なにを想像したの？」

「その手には乗らないよ。だけで済むわけないんだから、絢が……」

他のお客さんに見られても困らないよう表情は笑顔のまま、冷たい声で一蹴する。まったく。きびすを返し、厨房《ちゅうぼう》に戻った。紅茶を用意し、セットのジェラートをよそってきて、絢に提供する。

「おまたせしました。どうぞ」

「ありがと」

絢はスプーンでジェラートを一口。なんか、自分の用意したものを目の前で絢に食べられるというのは、むずむずした気持ちになってしまう。

しかし、お一人様がやたらと似合うな、この子。ほんとに女子高生か？　会社に戻る途中のOLではなく？

「鞠佳。店長とか、ほかのバイトにセクハラされてない？」

「大丈夫だってば。そもそもここ、店長さん女の人だし。……いや、性別なんて関係ないか」

「そうだよ」

人にレズAV見せてきた女が言うと説得力がすごいな。

「でも大丈夫大丈夫。みんなよくしてくれるよ」

絢を見て考えを改めつつ、あたしは言い直す。

「友達もできたし。一個上の女の子がね、ほとんど同時期に入ったんだけど、仲良くなってさ。シフトがかぶった日は一緒に帰ったりしてるんだ」

「そっか」

どこでバイトを始めるか悩んでた頃は、絢に『うちで働きなよ』と可憐《かれん》さんのお店に何度も誘われたんだけど、でもそれってなんか絢の後追いみたいでヤだった。

絢は恋人だし、好きだけど、だからって一から十まで同じにするの、あたしは違うと思う。ま、これはあたしのポリシーみたいな。

最終的に、絢はちゃんと理解してくれたんだけど……そのかわり、こうしてしょっちゅうバイト先にやってくる始末。心配性すぎでしょ。

なんかお姫様扱いされてるみたいで、悪い気はしないけどさ……。ってこれ、贅沢《ぜいたく》な話かな。

普段一緒にいるから忘れちゃいそうになっちゃうけど、ひとりでいる絢はどこでも絵になって、すっごく美人だ。ホールスタッフやってる最中も、お客さんがよく『うわ、すげえ美少女がいる』とか口走ってるから、ああまた絢か、みたいな気分になる。

お客さんを見てると、誰もがみんな一度は絢を振り返ってるのがわかるし。てか、きょうあの美人さんいるかな、ってリピーターになるお客さんも出てきそうだ。

あたしのお店への貢献具合は、バイトの仕事より、お客さんとして絢が来てくれるようになったことのほうが大きかったりするんだろうか……。

そう思うと、そんな子があたしの恋人なんだっていう優越感と、言いようのない敗北感を覚えてしまう。どうせあたしは親しみやすい顔ですよ……。

「それじゃ、絢、ごゆっくり」

「あ、まって鞠佳」

「うん？」

ちょいちょい、と手招きされる。すると、だ。

いや、隙《すき》だらけで顔を近づけたあたしが悪いのかもしれないんだけどさ……。

「ん」

「⁉」

こんなバイト先でいきなりキスしてくるとか、ありえなくない？　さすがに目を吊《つ》り上げる。

「ちょ、ちょっと絢！」

「私ももうすぐバイトだから、食べ終わったらすぐいくね。お仕事がんばって、鞠佳」

「もう……」

手の甲で唇を抑える。ちゃんとひと目を気にしてくれたとは思うけど、それでも誰にも見られてなかったかって気になって、胸のドキドキが収まらない。

絢ってばホント、バーテンダーでシェイカーを振るより、あたしの心をかき回すほうがよっぽど得意なんじゃないの。

しばらく後、絢が食べ終わるのを見計らって、レジに先回り。

やってきて財布から千円札を取り出す絢は、さっきのキスのせいで未《いま》だ熱くなってるあたしの顔を見て、嬉《うれ》しそうだった。こいつめ。

「鞠佳、さいきんツンデレどころか、ツンデレデレデレデレぐらいな感じだよね」

「……お客様のおっしゃってる意味がよくわかりません。八八〇円です」

「どっちの鞠佳もかわいいよ、って話」

「……絢こそ、あたしを甘やかしすぎ」

お金を受け取り、レジに投入する。毎日毎日こんな風にプリンセスみたいな扱いしてきてさ、これが当たり前の生活は人としてダメになっちゃいそうだ。

ぼそり非難すると、絢はどこか楽しそうに言う。

「そうだね、自覚はあるかな。こんなにかわいい恋人ができて、うかれてるんだよ。そのうちちゃんとおちつくから、もうすこし辛抱して。あんまり目に余るようだったら、怒っていいからね」

別に、怒るほどのことじゃないけど。

「……悪いとは、言ってないでしょ。ただ、こんなに甘やかされちゃったら、そのうち自分がすっごくわがままになっちゃうんじゃないかって、心配なの」

「だいじょうぶ」

お釣りを受け取りながら、絢が艶《つや》のある笑顔を浮かべた。

「私は鞠佳のいやがることも好きだから。あんまりわがまま言うようなら、ちゃんと、お仕置きしてあげる」

「な、なにそれ……って」

小さな痛みが走る。お釣りを出した手に爪《つめ》を立てられたのだ。

絢はいつも爪を短く切りそろえてるから、あとは残らなかったし、顔をしかめるほどでもなかったけど。

かわりに、あたしの胸がぶるっと震えた気がした。

それはよくわからない感情だった。インスタにアップした手抜きの自撮りを、友達が榊原手抜きだったよねって指摘してきたときみたいな、ちょっとのムカつきと、ああこの人はあたしのことをしっかりと見ててくれているんだなっていう安心感。

それがミックスされたような、不思議なきもち。構ってもらえる喜び……？

いや、だからって『お仕置き』なんて言われて嬉しくなっちゃうなんて、ヘンタイだ。これはちょっとだめ。なかったことにしよう。

「ば、ばか」

早くなった動悸《どうき》をごまかすみたいにそう言って、絢にレシートを押しつける。

こんな風に絢は、あたしの私生活のいろんなところに食い込んできて、あたしの知らないあたしを見透かしたかのような顔で、あとをつけてゆく。

あたしの毎日はもう、絢ナシでどういう風に過ごしてたのか、思い出せないぐらい。

「また明日ね、鞠佳」

「……うん、またね」

またすぐ会えるってわかってるのに。

あたしの喉《のど》の奥がキュンキュンとすぼんで、去ってゆく絢を抱きしめたい気持ちでいっぱいになっちゃう。自分で決めたことなのに、なんで絢と違うバイトを選んじゃったんだろ、って後悔しちゃいそうになる。

ダメダメ。ひとりでがんばるって決めたんだから。決めたことはちゃんとやる。それが自他ともに認めるクラスの人気者、榊原鞠佳でしょ。

絢はどんなあたしでも愛してくれるかもしれないけど、あたしはちゃんとあたしの好きなあたしでいたいからね。

いつまでも絢の後ろ姿を目で追いかけてないで、んし、と小さく拳《こぶし》を握る。お客さんがやってくるのが見えたからだ。

真剣に笑顔を浮かべて「いらっしゃいませ」と頭を下げる。

「お、榊原いたー！　へへへ、遊びにきたよー」

って、やってきたのはまたしても知り合い。騒がしいクラスメイトたちだった。

「真面目《まじめ》に働いてるー？」

「お、制服似合ってんじゃん！」

「写真撮ろ、写真」

あたしはバイトスマイルをやめて、嘘《うそ》くさいほどの愛想笑いに切り替える。

「四名様ですね。ただ今、店内は満席になっておりまして……。四時間待ちですが、よろしいでしょうか?」

「いやいや！　ガラガラじゃん！」

「ちゃんとお客さんだからね、わたしたち！」

ははは、と笑って、彼女たちを席へとご案内。カメラにネタでポーズなんか決めちゃったりして、あたしはすっかりいつもどおりのあたし。

ちゃんとひとつひとつ、がんばっていきますよー。

恋をしたから弱くなったなんて思うの、いやだからね、あたし。

ただ、スイッチを切り替えてみても、キスの感触と小さな痛みは、いつまでも残ったままだったりしたんだけど……ま、それぐらいは大目に見てあげようじゃないの、絢のばーか。


そんな風にきっかり四時間お皿を届けたり下げたりして、本日のアルバイトは終了です。厨房のお兄さんお姉さん方に、お先あがりまーすって明るく挨拶をしてバックヤードに引っ込んでゆく。

あとは制服を着替えて帰るだけ。女子多めの職場だからか、ちゃんと女子更衣室があるのもありがたい。ちなみに男子はそこらへんで着替えてる。不平等。

更衣室は使用中になってたため、軽くノックしてお邪魔する。そこには、さっきまで肩を並べて働いてた戦友（大げさ）の姿があった。

「冴《さえ》ちゃんおつかれさまー」

「あら、鞠佳ちゃんおつかれさまです」

きょうのシフト上がりは、絢に言った一個上の友達、榎本《えのもと》冴ちゃんと一緒だ。

この子は育ちが良さそうだったり、品があったりして、なんか『おい冴』と呼び捨てができない雰囲気がある。うちのクレイジーな学校にはあんまりいないタイプのお嬢様な美人だ。

ロングストレートの黒髪は、ザ・清楚《せいそ》って感じで、憧《あこが》れてしまう。

年上だからって決して威張ったりせず、あくまでも同じバイトの友達として接してくれるのでありがたい。ザ・いい子。

「はー、つかれたつかれた。早く帰ってお風呂《ふろ》入りたいねー」

「ふふふ、そうですね。ぬるめのお湯に、のんびりと」

「あたしはあっついのが好きだなー。なんか、リフレッシュー！　って感じしない？」

「鞠佳ちゃん、我慢強いタイプです？」

「そういうわけじゃないけど、なんだろ。割となんでも、ちょっとキツいぐらいのほうが気持ちいいっていうか？　あ、得意じゃないけど、辛《から》いものも好きだよ」

ロッカー開いて、着替えるよりも先にスマホをチェック。なんかこう、ほどよく疲れてるときって、ひとまずだらだらしたくなるよね……。

あ、めっちゃメッセージきてる、と思ったら、遊びに来た子たちのグループチャットが盛り上がってるみたいだった。これはあとで適当に確認して、返信しよ。

絢からは……特になし。うーん、こういうところは淡白。

「きょうも、あの午後小町さん、来ていたんですね」

「誰それ？」

スマホから顔をあげて尋ねる。彼女は飲食店用にまとめてた長い黒髪をほどきながら、上品にドヤ顔をした。

「アフタヌーンティーセットばっかり頼む美人さんだから、午後小町さん。みんなそう呼んでいますよ」

つまり、不破絢のことだ。

「よく来るお客さんにあだ名をつけるの、定番だよねー」

動揺を顔に出さず、笑ってスルーする。まあ、あんだけ目立つ子がやたらと店に来てたら、あだ名ぐらいはつくか……。おい、目立ってんぞ、絢。

あれで野生動物かよってぐらい人の視線に敏感だから、大丈夫だろうけど、もう店内でキスするのはやめてもらお……。

それはそうと、事情を知らない冴ちゃんは、気にせず話を広げてくる。

「鞠佳ちゃんと午後小町さん、同じ学校ですすし、仲いいんですか？　しょっちゅう遊びに来てますよね」

「いやー、家が近くなだけじゃない？」

とりあえずやんわりと否定《ひてい》しておく。別に後ろめたいわけじゃないけど、まあ一応ね、一応。どっからバレるかわかんないし。冷やかされるのは、悠愛《ゆめ》と知沙希《ちさき》にだけで十分！

ここはさっさとごまかそう……とかなんとか思って話題を探すと、ふと下着姿の冴ちゃんが目に入ってきてしまった。脊髄《せきずい》反射で口を開く。

「さ、冴ちゃん……そんなにおっきかった？」

「えっ？　あっ」

冴ちゃんの顔がぽぽぽっと赤くなった。巨乳の谷間を隠される。

しまった。ヘンなことを言っちゃった。身体的な特徴を話題に出すのは、慎重にしなきゃいけないのに！

「や、なんかごめん、おかしなこと言って！」

「い、いえ……気にしてるわけじゃないので、ぜんぜんいいんですけど！　その、真っ正面から言ってくる人ってなかなかいないので、ちょっとびっくりしちゃって……あはは……」

う、そりゃそうだよね、ごめん。絢のデリカシーのなさが感染したかな……。

ここで沈黙しちゃったらただ気まずい空気が残るだけなので、あたしは逆に踏み込むことにした。

冴ちゃんも嫌がってるって感じじゃないし。挽回《ばんかい》挽回。

「いや、しかしなんだろ、こう。おっきい胸って、なんかこう、いいな……。よく服が似合わなくなるって話も聞くけど、だからこそ似合う服もたくさんあるよね」

「そ、そうですか？」

「うん。ほら、女優がパーティーで着てるような胸の開いてるドレスとかさ。ああいうのけっこう憧れてたんだよね。でもそれなりに体にメリハリがないと格好がつかないわけで……」

「確かに、それはあるかもしれませんね。あ、いいえ、鞠佳ちゃんのことを言っているわけじゃなくて」

笑いながら「こらこら」とツッコミを入れる。なんか、悪くない感じ？　では、さらに調子に乗ってみる。

「ね、ね、ちょっと触ってみてもいい？　試しに、あたしが将来的に巨乳になったときのシミュレーションとして！」

「え、ええ⁉　い、いいですけど。相手が鞠佳ちゃんなら……」

いいんかい。大丈夫か冴ちゃん、そんな風に流されて。ちょっとだけ心配になる。

「ど、どうぞー？」

開き直ったみたいな笑顔を浮かべる冴ちゃんの胸元《むなもと》に、手を伸ばす。

つんつん、とブラからはみ出た上乳をつつく。たっぷりと脂肪の詰まったゴム毬《まり》みたいな感触が返ってきた。

わー……自分のものとはまったく違う、別次元の柔らかさ。

こりゃ誰もが夢中になるもんだわ……。

「なにこれ、すご……。冴ちゃんってサイズいくつ？」

「な、内緒ですよ？　いちおう、Gですけど……」

「はー、これがG……全世界の女の子の羨望《せんぼう》の的、ジェラシーのG……！」

「ジェラシーはJです」

わかってるって。ボケだよ、ボケ。いやホントに。

にしてもすごい。これが本物のおっぱいか、あたしの何倍ぐらいあるんだろ。

おっぱいってほんと不思議だよね。人間の身長差なんてせいぜい上下50センチぐらいなのに、おっぱいは平気で二倍三倍以上のサイズ差が存在するわけで。

生命の神秘を感じちゃうな、おっぱい……。あたし何回おっぱいって言うんだ。

「あ、あの……。そろそろしまってもよろしいでしょうか」

ハッ。

我を忘れておっぱい見てた。

「ご、ごめんね、冴ちゃん！　どうぞどうぞ、お収めくださいませ……」

「はい……」

はー、とお風呂上がりみたいな大きなため息をついて、冴ちゃんは肌着を着込んだ。

つるつるの頬《ほお》が、ほんのりと赤く火照《ほて》ってる。

ひょんなことから、女子校にありそうでなさげなイベントをこなしちゃったな……。これ、バイト仲間で、さらに年も一個差だからこそできるギリギリの距離感って感じする。クラスメイトには無理すぎ。

「あの」

「うん？」

冴ちゃんはあたしを見つめてる。なになに。おっぱい突っつき代とか取られる？

「その……ま、鞠佳ちゃんのも、触ってもいいですか？」

「うぇっ？」

まだ触られてもいないのに、ヘンな声出た。

「あ、あたし？　いいけど、触っても楽しいもんじゃないよ……？」

「でも人様のに触れる機会って、なかなかありませんから……」

そりゃそうだ。まあ、触れる機会があれば、触ってみたいよね。冴ちゃんも意外とアグレッシヴである。

「じゃあ、どうぞどうぞ。触らせてくれたお礼ってことで」

こういうとき恥ずかしがってもじもじしてたら、もっと恥ずかしいことになるのは明らかなので、あたしは堂々と胸を張った。

どうせ隠すほどないしね。自分で言ってて虚しい。

「は、はい……それでは、失礼して……」

しかし、あたしひとりが開き直っててもダメなのであった……。

冴ちゃんは、生まれて初めてホールに立つ新人バイトみたいな緊張した様子で、ゆっくりと顔を近づけてくる。

なんか、そんなに固くなられると、こっちも緊張してきちゃうんだけど……っていうか待って！　ブラの下に指入れてくるのなに⁉　まさかの直揉《じかも》み⁉

急にルール違反された気がするけど、仕方なく、あたしは正面からの冴ちゃんのたおやかな指先を受け入れる。

「うわあ……すっごぃ……すっごいぃ……」

あの、人の胸を揉みながら、顔を真っ赤《まっか》にしないでほしいんですけど……。いや、もしかしたらあたしもそうだったのかもしんないけど！

しかもなんか、なんだろう。頭の中に剣呑《けんのん》な目をした絢の顔が浮かんでくるっていうか。いや、でも大丈夫よね。バイト帰りに友達に更衣室の中でおっぱい揉まれるぐらい、浮気《うわき》に入らないよね。うん、完全にセーフ。

にしても、おかしいなあ……。さっきまで女子校あるあるみたいなテンションだったはずなのに、今は完全に『女子更衣室の花園。秘められた情事！』みたいなタイトルつきそうなんだけど。なんでこんなことに……。

「あ、あの」

「な、なに……?」

冴ちゃんはあたしよりちょびっと背が低い。年上の美少女である冴ちゃんが、ほんのり濡《ぬ》れた瞳《ひとみ》で上目遣《うわめづか》いをしてくるさまは、思わず『お、お姉さま』と口走りたくなるような、独特の色気があった。

「鞠佳ちゃんのおっぱい、白くて、もちもちで、とてもきれい、ですね……」

「うひぇ? あ、ありがと……」

い、いいから褒めなくて。もっとじゃれるような感じであはははーって笑って終わりにしてよ。じゃなきゃ、おかしなムードになっちゃうじゃん!

「そ、それじゃおしまいね!」

「あ」

これ以上続けられるとなんかやばい感じがしたので、あたしは無理矢理におっぱいを打ち切った。最初は「触られてるなー」って手つきだったのに、それがどんどんとねちっこいものになってっちゃったからね……。

もうちょっと続けられてたら、完全に感じちゃってた。危ない危ない。感じちゃってたら浮気一歩手前だからね。今のはただのボディタッチの範疇《はんちゅう》。ふー危なかった!

てか、あたしの通ってる学校が異常なのであって、むしろ普通はみんなおっぱい揉み合ってる説ある？　ほんとに？　まじで？　衝撃的すぎるでしょ。

後ろを向いてブラを付け直し、学校の制服のブラウスを着る。

「……鞠佳ちゃん」

「え？　な、なに？」

冴ちゃんが普段とは違う粘っこい声色《こわいろ》で呼びかけてきた。

「あ、ただの、世間話なんですけど……」

「世間話か！　そっか！　いいよ、あたし世間話得意！　どんな話する⁉」

「鞠佳ちゃんって、その……男の人より、女の人のほうが、好きなタイプですよね」

「えっ⁉」

なんか今、聞き方おかしくなかった？　決めつけ入ってなかった？

今の冴ちゃんがなに考えてるかわかんないけど、このタイミングでその話題とか、答えたらやばいやつじゃない⁉

あたしは全力で逃げるよ。逃げるからな。

「ないない！　ありえないから！　女同士とか……ハッ、いや、個人の趣味嗜好《しこう》を否定とかしてるわけじゃなくて、あくまであたし自身は、っていうか……」

余計なことまで言いそうになって、慌てふためくあたしを見て、冴ちゃんはくすっと笑う。

可憐で上品な笑顔だった。

「優しいんですね、鞠佳ちゃんは」

「い、いやあ……」

なんかとっさのことで嘘ついちゃって、そこそこ罪悪感あるんですけどね！

ごめんね、あたしが今付き合ってるのは女の子です！

「と、とりあえずあたし着替え終わったから、先に出てるね！　帰りは駅まで一緒に行こ！　それじゃ！」

「はい」

慌てて出ていくあたしの後ろから、空耳だろうか。

「……うそつき……」

そんな声が聞こえてきた気がした。

ん……？　でも、冴ちゃんの淑《しと》やかな声とはゼンゼン違うし、きっとホールのほうから聞こえてきたんだろうって、あたしは気にしないことにした。

それがいったいなんだったのか。わかるのは、しばらく後の話であった。

＊＊＊

冴ちゃんを待って、一緒に駅まで歩きながら得意な世間話をこれでもかと一方的に繰り広げ、円満に別れたその翌日のこと。

お給料が出たばかりの土曜日。

あたしは買ったばかりのちょっぴり大人びたワンピースを着て、新宿へと向かってた。

昨日は絢がうちのバイト先に来てくれたけど、きょうはあたしが会いに行く番だ。

ぎゅうぎゅうに混んだ夕方過ぎ、新宿の人混みだけど、胸は弾んで、足取りは軽《かろ》やか。ハンドバッグの中には大切なプレゼントを忍ばせてたりする。

ただ、こんなときにもあたしは百パーセント恋に溺《おぼ》れることはできなくて、どこか客観的に自分を観察してしまってる。

だから、やだなあ、浮かれすぎてみっともなくないかなあ、って心配になっちゃう。

恋もしながら、自分の好きな自分でいようと努力するのって、思った以上に両立が難しいのかもしれない。まあ、がんばるけどさ！


現実と非現実の境みたいな路地を抜けて、やがて到着。

『Plante à feuillage』と書いてある大人のバーのドアを開くと、あたしもちょっと大人になったみたいな気分になれる。

いつもの席、端っこのカウンター席に座ると、小柄なショートカットのお姉さんがやってきた。きょうも快活《かいかつ》な笑顔で出迎えてくれるこのお店のオーナー、可憐さんだ。

「こんばんは。きょうはどういう気分？　寂《さび》しい土曜の夜を、一緒に過ごすパートナーを見つけにきたのかな？　だったらお姉さんと遊んじゃう？」

冗談めかした誘い文句に、あたしはくすっと笑みをこぼす。

「だめですよ、可憐さん。絢ちゃんに怒られちゃう、でしょ？」

悪さをたしなめられた可憐さんは、なんだか神妙に首を振った。

「でも鞠佳ちゃん、かわいいんだから仕方ないもの。ああ、もうちょっと若い頃なら、後先考えずにとりあえず口説《くど》いてたんだけど、今はだめねえ。大切なものが頭をよぎっちゃう。お店とか、アヤちゃんとか、良識とか……」

「若い頃から持っておいてくださいよ、そこらへんは……」

可憐さんはかっこいい大人だし信頼してるけど、生きてきた世界があまりにも違ってるからか、ときどきすごいダメ人間に見えてしまうときがある。あたし、あなたのお店の従業員の恋人ですよ……。

薄暗いバーの中は、土曜の夜だからか、いつもより盛況だった。ほとんどの席が埋まってる。暇なときは話し相手になってくれる可憐さんも、あんまりあたしにちょっかい出せず、いろんなお客さんの間を縫って笑顔を振りまいてる。

店内には、バーテンダーの制服を着てクロスタイを身に着けた絢もいた。ニコニコとお客さんの相手をしてる。

普段まったく表情筋を動かさないくせに、バイトのときはちゃんと真面目にお仕事してる絢、えらいぞ。

「あーもー、アヤちゃんかわいいー！　美人すぎてお人形さんみたいー！」

「ね、ね、どう？　今晩お姉さんと一緒に、ね？　どんなホテルでもおごっちゃうから！　むしろおごらせてほしいっていうか！」

「けっこうです」

涼やかな笑顔とともに、お姉さん方からの誘惑を侍みたいに斬《き》り捨てる。

このお店、かっこいい絢が見れるのはいいけど、モテモテの絢を見せつけられるのは、腹立つのよね……。

面白《おもしろ》くなくて、他の人にオレンジピールのカクテルを注文する。スマホに目を落としてると、隣に小柄な女の子が座ってきた。

「ハイ、マリー。元気してた？」

「げ、アスタロッテ……」

トウモロコシ畑の似合う金髪女子中学生、ジャパニーズＹＵＲＩが大好きなアスタロッテだ。

この子はすごい。年下だってのに、うおお……と気圧《けお》されるほどの美少女である。

生まれが違うとここまで違うのかと思わされるほど細くて、顔が小さい上に、透き通るような蒼《あお》い瞳。カラコンとは違う自前のおめめは、見つめられるだけで呼吸が止まってしまいそうになる。

こんな生命体とお知り合いになったら、友達みんなに自慢したくなっちゃいそうだけど……まあ、それはできない事情があるというか、なんというか。初対面のあたしにいきなりキスしてくるようなエキセントリックガールだしね、こいつ……。

てか、前回絢と軽く揉めて以降会ってなかったから、居心地が悪い！ ……思いをしてるのは、どうやら完璧《かんぺき》にあたしだけみたいで。

「アヤと付き合い始めたんだって？ コングラッチュレーション！」

いきなりめっちゃ拍手された。え？ あ、はい、ありがとうございます。

「ね、ね、それで四人でセックスする気になってくれた？」

「いえ、けっこうです」

絢を見習ってキッパリと断る。アスタロッテは「え〜〜〜〜！」と悲鳴をあげた。

映画の清楚な美少女がスクリーンから飛び出してきました、みたいな外見のくせに、キャラがえろえろすぎる。

うん、なんかこの子に気を遣おうとした自分がバカみたいだ。やめやめ。てか長いから、あたしもアスタって呼ぶことにしよ。

アスタは両手をカウンターにべたーっと伸ばして、甘えるように唇を尖《とが》らせる。

「ちぇー、マリーってば、案外ウブなネンネのコネコちゃんなのね」

その日本語、ぜったい可憐さんから教わったでしょあんた。

「あたしは誰とでもしたりとかしないの。日本の女子高生、そんな乱れてないから」

「あ、そうそう、そんなことよりワタシね、最近占いにハマってるの！　マリーも占ってあげるから手を出して、ホラ、ホラホラ」

「会話のテンポが独特だなあ！」

あたしはぐったりした気分で手を突き出した。抵抗するより流されたほうが楽なときってあるよね。今のことだけど。

するとアスタはペタペタとあたしの手をまさぐり始める。バッグの傷を確認する質屋さんみたいに、無遠慮な手つきだ。

アスタの占いだからどうせ期待してなかったんだけど、嬉しそうに顔をあげてきたので『おっ？』という気分になる。

ひょっとしてあたし、運勢が絶好調的な？

「あのね、カレンが『シュミは占いですって言っておけば、どんな女の人の手も握れるのよ』って教えてくれたのよ！」

「初めてのコンパに挑む大学生か！」

手を引き抜く。横を通りがかった可憐さんが心外とばかりに言ってきた。

「一緒にしないでちょうだい。あたしなら爪のお手入れの仕方や、指の節くれ立った具合で、タチネコ歴もぴったりと言い当てられるんだからね?」

「カレンはさすがね!」

なんなんだこいつら。

アスタは懲りずにあたしの手をさすってる。きめ細やかな手のひらで撫《な》でられると、確かにいい気持ちがするし、こんな美少女に手を握られるのは、人によってはご褒美なんだろうけど……。

「あっ、マリー!」

「今度はなに」

アスタは眉間《みけん》にシワを寄せて、難しい顔になった。数学の難問を前にしたみたいに口を曲げながら。

「マリーに女難の相が出てる……。しかもこれ、刃傷沙汰《にんじょうざた》になるっぽい……」

ろくでもないこと言い出しやがった。

「占いって人を幸せにするためのものじゃないの⁉　なに秒であたしの心を傷つけてんの!」

アスタがぎゅっとあたしの手を掴《つか》む。

「気をつけてね、マリー……。ワタシ、マリーのお葬式に出るの、やだからね……?」

「待って!　なんでそこだけ冗談ムードじゃないの⁉　ちょっ、なんで涙目になってんの⁉

ねえ！　自分の付け焼き刃の占い結果に、絶対の自信を持ちすぎじゃないかなあ⁉」

　アスタは急にメソメソとし出した。

「かわいい女の子が死んじゃうなんて、そんなの世界の損失だわ……」

「いや、死なないから！　死なないからね⁉」

「でも、刃物で刺されたら、いくらマリーでも……」

「刺されること確定⁉　いやそんな、大丈夫だってば……運命は人の手で変えられるってところ、見せてやるから……」

　てか、まさかあたしが死ぬ話でアスタが泣いてくれるとは思わなかった……。もしかしたら、あたしの思う以上にほんとはいい子なのかもしれない……。

　ちょっと見直したけど、だからってあたしの心に暗雲を立ち込めさせたのは、絶対に許さないからね！　うう。

　刃傷沙汰で死ぬのか、あたし……恋人ができたばっかりなのに……やだなあ……。

　アスタはキャラもののかわいいハンカチで目元を拭《ぬぐ》う。

「ねえ、マリー……死んじゃう前に、せめてワタシと一晩、どう……？　そうすれば、きっとマリーはワタシの思い出の中で、永遠に生き続けるんだわ……」

「やめろ！　あたしの死を糧にエモい思い出を作ろうとするな！」

……という一連の流れを手の空いた絢に訴えたら、笑い飛ばされた。

「なにそれ」

「知らないけど……」

「アスタ、思い込み激しいから。悪気はないんだけど、こまっちゃうよね」

「でもさぁ」

目の前で女の子に泣かれてみ？　さすがに不安になるってば……。

とうのアスタは、さんざんあたしを慰めて、口説いて、帰ってしまった。やりたい放題か？

さすが自由の国だな。

ノンアルカクテルをがぶりと飲んで、ため息。

「あたし、ここ一週間で三人ぐらいから『お前はバリネコで、女を呼び寄せる女だ』みたいに言われてるんだよ。今のカンペキにトドメじゃん……」

「鞠佳がフリーだったらそうかもしれないけどね」

「えー」

「今の鞠佳は、他の人に目移りしたり、しないでしょ？」

「そりゃそうだけど……」

「いい子いい子」

「むう」

私がこの奴隷をオークションで競り落とした所有者ですが？　みたいな堂々とした顔してるんじゃない。

「でも、女難の相で刃傷沙汰って……刃物はあたしの気持ちとか配慮してくれないじゃん？」

こんなにかわいいカノジョが不安がってるのに、心配してくれないんですかー、というニュアンスを込めて訴えかける。

絢にぽんぽんと頭を撫でられた。

その笑みが、突き刺さる。

「だいじょうぶ。鞠佳は私が守るから」

「えっ……!?」

不意打ちの言葉だった。

「私の大切な恋人に、手出しなんてさせないよ」

なにその騎士な発言……。

女の子が言われたい台詞《せりふ》ランキング上位の言葉じゃん……。

バーテンダー姿の絢は、唇に指をあてて、あまりにも格好良く微笑《ほほえ》む。

「ちょっとは心がかるくなった？」

ウィンクつきの魔法をかけられて、あたしは思わず胸を押さえた。

あーもー、なに今の!?　ドキドキさせるときには、事前にちゃんと言ってよ。

かわいいリアクションとか、用意しておかないと、とっさにできないんだから……！

なんだか急に絢の顔が見れなくなって、あたしはもじもじと口を開く。

「うん……うん、なった。なった、かな。……ありがと、絢」

絢が守ってくれるなら安心かなって、素直に思えてしまう。

同い年なのに、なんでこんなに頼りがいがあるんだろう。人生経験の差ってやつ？　ほんのちょっぴり悔しくて、それよりずっと愛《いと》おしい。

「ふふ、どういたしまして」

「こっちこそ、なんか、ヘンなこと言ってごめんね」

「ううん、鞠佳に甘えられるのは、うれしいから」

くっ……またそういうこと言うんだから、この、この……。

「それで、きょうは私、十時あがりだけどどうする？」

「あー……待ってる。あ、迷惑じゃなければだけど」

そこに返答はなく、再び頭を撫でられた。

言うまでもない、というやつだろう。

……絢ってこんなにキザなやつだっけ。バーテンダーの格好してるから、普段の三割増しに見えてるのかな。

いや、そんなことないか。普段から絢はかっこいいや。

……なんて！　今、素で思ってしまった！

ああああもう、なんでこんなに絢のいいところばっかり見えちゃうの⁉　あいつは、アスタと可憐さんと行きずりで3Pしちゃうような女だぞ！　しっかりしろ鞠佳！　このままじゃ絢のファン女子になっちゃうからな！　恋は呑《の》んでも飲まれるな！

カウンター席で頭を抱えながら歯を食いしばって自分を叱咤《しった》激励してると、そそくさとやってきた可憐さんが、あたしの耳元にささやいた。

「……鞠佳ちゃん、大丈夫？　重い日？　お薬あるよ」って。

いいえ、けっこうです………。

可憐さんの優しさを三角コーナーにポイしちゃった罪悪感に苛《さいな》まれつつ、絢を待つ。十時になって私服に着替えてきた絢とともに、新宿の街を駅に向かって歩く。

「どこか、よって帰る？」

「あ、ごめん。あんまり遅くなると、お母さんが心配しちゃうから」

「そっか。じゃあ早く帰ろ」

絢が微笑む。新宿で恋人繋《つな》ぎするのは、すっかり慣れてきた。こんなにも大勢の中で、たったひとり、あたしだけが絢のトクベツなんだって気分になれるから、好き。

あたしは笑顔で絢の手を引く。

離れたくないのはあたしだって同じなんだよ、っていう気持ちを込めて。

「なら、せっかくだから新南口のほうに寄っていこうよ。今、イルミネーションやってるみたいだからさ」

「うん、そうしようか」

京王線乗り場を過ぎて、新南口へ。ドコモタワーと新宿の夜景が一望できるその広場には、まばらな恋人たちの姿があった。

九月も終わりに近づいた頃の風は少しずつ秋の色が混ざってきて、あたしは絢との隙間《すきま》を埋めるようにくっついてベンチに座った。

目の前には、ライトアップされたオブジェクトがあって、芸術とかそういうのはよくわかんないけど、なんだかロマンチックな雰囲気だ。

絢の横顔を見つめる。

凛々《りり》しくて、ときどき憎たらしくて。でもやっぱり綺麗《きれい》で、優しい絢。

その視線に込めた気持ちを気取られないように、あたしは話し始める。

「もう来週だね、ダブルデート。っていうか今どき、ダブルデートってさ。発想がなんか昭和だよね。なにが青春だっての。ウケる」

「うん、なんだか緊張する」

「え、そうなの？」

「だって私、遊園地ってキャラじゃないから」

噴き出す。確かに。ミッキーの耳をつけて風船と自撮り棒を持ってはしゃぐ絢とか、想像できない。

「そんなに気負わなくていいよ。遊園地って言っても東京ドームシティなんだから。ただのデートスポットみたいなものだよ」

「でもいったことないから」

「大丈夫大丈夫、あたしがついてるでしょ。任せなさい」

にひひと笑いかけると、絢はなんだか急にうつむいてしまった。

えっ、そんなに不安だった？　なんかあたし、空気読めないことしちゃったかな。

するとだ。乳液のパックから、最後の一滴を絞り出すみたいな声で。

「……鞠佳、好き」

なんてことを言われた。あたしの顔がどんどんと赤くなる。

「な、なんで急に」

「わかんない」

絢は自分の気持ちを見つめ直すみたいに、口元に手を当てる。

「でも、普段リードされるばっかりの鞠佳が急にかっこいいところをみせてくるから、私のなかのネコの部分が反応しちゃったのかも」

ネコの部分というのがどういう意味かはわからないけれど、なんとなくニュアンスは伝わってくるような……。乙女っぽい部分、みたいな感じだろう。

でも、かっこいいところなんて見せたかな。さっきの『あたしに任せなさい』みたいなセリフのこと？　別に、狙《ねら》ってやったわけじゃないんだけど。

「ていうか、絢にもあるんだそういうの……」

「自分ではないと思ってたよ」

ふーん。なんとなくいい気になって、あたしは絢の腕を自分の腕に絡《から》ませる。

「じゃあ、あたしが絢の新しい性癖を引き出しちゃったんだね。いつでも甘えていいんだよ、仔猫ちゃん」

「……にゃん」

「よーしよーし」

「にゃーん」

絢があたしの肩に頭を預けてくる。かわいいじゃんか。

ゆるく巻かれたツヤツヤの髪を撫でながら、あたしはぴーんとひらめいた。

不意に降りてきた感覚。女の子同士で付き合うってどういうことか今、ちょっぴりわかった気がする。

どちらかが一方的に寄りかかったり、委《ゆだ》ねたりするんじゃなくて、お互いに支え合ったり、

ときには甘えたり、甘えられたりする関係……なのかな。

ってそんなの、男女でも、男同士でも同じか。人それぞれ、人それぞれだよね。

「甘えていいんだよ」

あたしは努めて優しい声で、愛しい人に語りかける。

きっと、あたしが絢に甘えることで救われてるみたいに、絢だってあたしに甘えたいときはあるよね。

「だって、絢もかわいい女の子なんだから」

「……」

絢の黙り込む気配。

ちらりと横目で窺《うかが》うと、その耳は真っ赤になってた。

わ、なんかこれ……やばい。これが普段、絢の見てる景色なんだ。

あのいつも自信満々な絢が、あたしの言葉で喜ぶ光景に、すっごいゾクゾクしちゃう。どばーんと性癖の扉が蹴《け》り開けられた感じ。癖《くせ》になりそう。

「そ、そうだ絢、これ」

あたしは妙に慌てて、鞄から封筒を取り出す。

こういうときにどっしりと構えていられないのが、まだまだタチ力の低い証《あかし》なんだろうな、なんて思いつつも。

「鞄代の三万円。バイト代出たからさ、やっぱり返すよ」

すべての始まりだった、２ＷＡＹバッグの代金を、無理やり絢に手渡す。

「別にいいのに。なんだったら、恋人へのプレゼントってことでも」

「ダメ。それなら、また改めてプレゼントしてよ。あ、でも、あんまり高価なものはダメだからね」

絢はごみ捨て当番を押しつけられたみたいな顔でお金を受け取った。ここはしっかり言っておかないと。

「ただでさえ、温泉旅行代は出してもらっちゃったんだから」

「鞠佳をよろこばせるためにお金つかうの、お金で鞠佳の笑顔を買ってるみたいで興奮する」

「へ、ヘンタイ……」

久々にドン引きだわ。特殊なプレイに人を付き合わせないでほしい。

ああもう、こんな話するから、なんか出しづらくなっちゃうじゃん！　でもそろそろ帰らないとさすがにやばいし！　ええい！

あたしは鞄の中から本命の品物を出した。

かわいくピンクのリボンでラッピングされた箱だ。えいやあと色気もへったくれもなく絢に突き出す。

「そ、それでこれが、あたしの初めてのバイト代で買った、ぷ、プレゼントです！」

「え?」

絢は、目をパチパチしながら受け取った。

「なんで?」

「か、鞄代の、利子、みたいな」

「利子……利子か」

あっ、絢が暗い声を出した。

「じゃ、じゃなくて! その……なんか、憧れてたの。初めて入ったバイト代で、恋人にプレゼントをあげる、って……。理由はいろいろと考えてたんだけど、イマイチ思いつかなくて。だから、特に意味はないんだけど、プレゼント。受け取ってくれると、嬉しい、です」

本当は、いつも大事にしてくれる絢になにかお礼をしたかったんだけど、それを言ってもどうせお互い様って言われるだろうし……。

だから、あたしのワガママってことにした。

もっと反発されるかなって思ったんだけど、絢は意外にも「ありがとう」と微笑んで、素直にもらってくれた。よかった。

「鞠佳も、お金でひとの笑顔を買う興奮にめざめたんだね」

「違う! もうやだ! プレゼント返せ!」

「ごめんごめん、じょうだんじょうだん」

大型犬みたいにウーウー唸《うな》って威嚇《いかく》するあたしをどうどうとなだめながら、絢はその場でプレゼントを開封する。この瞬間が一番わくわくするし、緊張もする。

「アロマセットだ」

「うん……。前に一緒にいった、あの渋谷の店で買ったの」

絢との『契約』で、恋人のフリをさせられてたところだ。

「恋人へのプレゼントです、って言ったの？」

う……。絢は鋭いところを突くなあ。

あたしを恥ずかしい気持ちにさせるためのポイントを、絶対に外さない……。

「買うとき、前と同じお姉さんでね。『恋人へのプレゼントですか？』って聞かれたから、実は……って、前はそのフリをしてただけってことを話したんだ。お姉さん、笑ってたけど、でも改めて付き合うことにしたんですよって報告したら、なんかすごく喜んでくれて……。すっごく恥ずかしかったけど……って、な、なに⁉　なんで急に顔を覆《おお》うの、絢！」

「私もその場に居合わせたかった。そんなの鞠佳、ぜったいにかわいいやつだよ……。初めてのおつかいみたいな……」

「し、知らないし！」

ヘンなところが絢のツボに入ってしまったみたいだ。まだぷるぷるしてる。

「全部あたしの好きなので選んだけど、前も言ったとおり、香りは人によって好き嫌いあるから、受け入れられないやつはちゃんと言ってね。あたしが引き取るから」

今回の香りは、三種類。絢は普段からアロマ使いをする子じゃないので、ド定番なものでまとめてみた。ラベンダー、バニラと混ぜた甘めのローズ、それにグレープフルーツだ。

どちらかというと、キャンドルやバスアロマ、ネイルオイルなど、用途にこだわってみた。カードフレグランスなんかは持ち運べるし、手軽に気分転換できるから気に入ってくれると嬉しいな。

絢はその箱を大切そうに抱える。

「ありがとね、鞠佳。すごくうれしい。今夜から毎日、鞠佳につつまれて寝るね」

「……恥ずかしい言い方、しないの」

こいつは、まったくもう……。

しかし絢はまた軽口を叩くわけでもなく、あたしのあげたプレゼントをぼーっと撫で回してた。人形を赤ん坊だと思い込んでる老婆みたいな雰囲気あって、なんかちょっとこわい。

「ど、どうかした？」

「えと……なんだか、ね」

一拍置いてきたのは、あたしを焦《じ》らそうとかじゃなくて、自分の考えを整理しようとしてるんだな、っていうのがわかった。だから、邪魔せずに待つ。

「……私は、どんなことも、私が好きでやってるから、それにたいして見返りとかは考えてないんだ。基本的にはね。私は今までそれでいいって思ってたし、つきあった人ともずっとそういうドライな関係で、それが心地いいって思ってた」

「うん」

絢の言う『つきあった人』という言葉に、ほんのちょっと胸がチクリ。

「でも、鞠佳は自分だけじゃなくて、私にいろんなものを返してくれるし、ときにはそれよりもずっとすてきな贈り物をくれるから。すごく嬉しいし、幸せなんだけど……むりさせてるのかなって思うこともあって」

なにそれ。慌てて手を振る。

「ムリなんかしてないって。全部が全部、あたしがしたいからやってること。最近忘れてるかもしんないけど、あたしは絢のライバルだったんだからね？　優しくされたらされたぶんだけ、負けたままじゃヤだ、って、むしろやる気が湧《わ》いてくるんだから」

「……うん、だから、なんか」

不安げに瞳を揺らす絢。

「私、自分が好き勝手してるだけなのに、こんなに幸せでいいのかな、って……」

刃傷沙汰で思い出した。絢は中学時代に騒動に巻き込まれて、それでクラスの人と距離を置いたんだった。

ちょっとやそっとの幸せなんかより、なにもない日々を、絢は選んだんだ。

今になってまた、いろんなことが心配になってきたのかもしんない。

あたしはさっき決めたことを思い出す。女の子同士の――じゃなくて、あたしたちの付き合い方。どちらかが一方的に寄りかかったり、委ねたりするんじゃなくて、お互いに支え合ったりする関係……ってやつ。

今、絢が不安がってるなら、あたしが励ましてあげないと。

「あのね、絢」

「うん」

絢の手をぎゅっと握って、あたしは笑った。

「そのときは、そのときだよ！」

「うん。……うん？」

戸惑う絢に、言い聞かせる。

「もしまた事件が起きたら、そのときはケンカして、前みたいに可憐さんの前でとことん話し合ってさ、仲直りしよ。大丈夫だよ、なにが起きたって、もう絢をぜんぶ嫌いになっちゃうなんてこと、それこそ絶対に『ありえない』からさ」

にっこりと笑いかける。

「あたしはムリしてたらムリって言うし、絢の意地悪があんまりひどくなったら、ちょっとまって、って言うから。思いつめて一歩を踏み出せなかったら、その先にあるいろんな楽しいことにも出会えないよ。それって、つまんないじゃん？」

ニコニコとバカみたいに笑って、そんなことを言い張る。

いいの、あたしは楽しいのが一番だから。考えるのは絢の仕事。その代わり、あたしは今の一瞬一瞬を思いっきり楽しむつもり。

不安な気持ちはあるけどさ、でも絢がしょんぼりしてるのにそんなの見せらんないからね。今はあたしが支える番だもん。

あんまり空気を読みすぎるのはよくないって絢に教えてもらったし、それは実践していくつもり。でも楽しいことが一番っていうあたしのポリシーは今でも変わってない。

変える必要なんてない。

だって、絢と一緒にいるのはすっごく楽しいんだから。

「……ありがと、鞠佳」

絢はちょっと目を潤ませながら微笑んだ。

イルミネーションに反射した瞳の輝きがすごくきれいで、まるで宝石の中に吸い込まれそうな気分だった。

「でも『ちょっとまって』じゃわかんないから、もっと厳密に決めよう」

「え？」

絢がまたヘンなことを言い出した。

「セーフワードって言うんだよ。だいじょうぶ、一般的な言葉だから。どこのカップルもやってるよ。私たちの間にも、そろそろ必要かなって思ってたんだ」

「嘘だ！　それSM用語でしょ！　こないだ絢が見せてくれた漫画に書いてあったじゃん！」

絢は目を逸《そ》らした。

ちょっと優しくすると、すぐ調子に乗って！

でもそんなところも絢らしくて、あたしは好き。急な雰囲気の落差も許してしまう。

まったく……優しい恋人がいてよかったね、絢！


あたしたちはそんな調子で、この日は電車に乗って別れた。次はまた学校で会えるし、さらに次の週末は東京ドームシティでのダブルデートだ。

お風呂に入って、なんだか幸せな気分でアロマを炊いて部屋で髪を乾かしてると、絢からメッセージがきた。『ちゃんとセーフワード決めてね』ということだ。

どうしてもあたしを逃さないつもりらしい。うーん……。

とりま、ネットでセーフワードを検索してみる。

う……なんか思った以上にえっちな言葉だ……。

なんかね、セーフワードっていうのはようするに、恋人と特別なプレイをする際に用いる言葉みたいだ。

例えばあたしが絢にお尻《しり》を叩かれて「やだー！」って言ったところで、それがほんとに嫌なのか、それともフリで嫌がってるのかを判別するときに使うらしい。

まったく、あたしはマゾでもなんでもないのに、そんなセーフワードを決めろだなんて……

絢はなにを考えてるんだか。

ていうかさ、これセーフワードを決めるってことは、その言葉を言ってない間はあたし、絢に意地悪なことされてても合意の上で、喜んじゃってるってことになるんじゃないの……？

なんか、なんかすごいこう、モヤモヤする……気にしすぎなのかな……。

いやいや、逆に考えてみよう。絢にどんな意地悪なことされても、その一言さえ言えばやめてくれるってことでしょ？

だったら、あたしにとってはプラスしかないじゃん。

よし、決めようセーフワード。

あたしは悩んだ挙げ句、絢にメッセージを送った。

じゃあ『ありえない』で、と。

まあ、あたしらしいかな、って。

絢からはすぐに『了解』との返事が返ってきた。

これから本当に嫌なことをされたらちゃんと、ありえない、って叫ぶことにしよう。

……しかし、ＳＭ用語まで生活の中に取り込んじゃって……あたし、このまま絢にどこまで連れてかれるんだろ……。

自分のこの先に、一抹の不安を覚えてしまう榊原鞠佳なのだった……。

「あの」とバイトからの帰り際、お店のバックヤードで冴《さえ》ちゃんに呼び止められた。

前回のおっぱい事件のあと気まずいかな〜〜って勝手にひとりで気にしてたけど、冴ちゃんはいつもどおりだったので、ホッとした。友達付き合いは順調に続いてる。

なんかバイト先の友達って、学校の友達とはまた違う感じで新鮮だよね。

学校であった面白《おもしろ》いこととか話せるし、そっちの学校で流行《はや》ってることを取り入れてうちの学校に持って帰ることで、お手軽簡単に面白い話を量産できるし。これを話題の貿易と呼ぼう。

「なになに？　どうかした？」

「いえ、実は」

冴ちゃんは丁寧で覚えも早く、ホールでは頼りになる仲間なんだけど、プライベートは遠慮がちみたいで、まだまだ人見知りを発揮されてる感じする。

今だって、中学生が初めて好きな子をデートに誘うみたいな、照れ顔をしてたり。

でも、年上のお姉さんがそんな風にほんのり恥ずかしがってる感じ、ちょっとそそるよね。

「今週の土曜日、お暇でしたら、その」

第三章

ARIOTO
onnadoushitoka ARIENAIDESYO to iiharuonnanoko wa hyakunichikan de TETTEITEKINI otosu yuri no ohanashi

「ん」

「映画のチケットを知り合いにもらったもので、一緒にどうですか?」

おっと、遊びの誘いだったか。

冴ちゃんと休みの日に出かけたことはないので、楽しそー! って思うんだけど、しかしやしかし、ダブルデートの日とブッキング。

「ごめんね、冴ちゃん。その日は先約があってさ。また違う日なら!」

両手を合わせて、大げさにごめんなさいのポーズを取る。

「あ……でも、その映画が週末までしかやってなくて……」

「そっかあ! じゃあ、ごめん、他の人を誘って! ごめんね!」

ご主人さまに散歩を断られたイヌのように、冴ちゃんが目に見えてシュンとしてしまった。

「私、実はあんまり、お友達が多くなくて」

「えっ、そうなんだ!」

うっ、しょんぼり冴ちゃんかわいい……いやかわいがってる場合か。

冴ちゃん、いかにも男子からはモテそうなのにな。バイトでも、冴ちゃんのことを気にしてる男の人、多いっぽいし……。

でも確かに、他の女子とは仲良そうに話してる場面、見たことないかも。なんでだろ、冴ちゃん話しやすいのにな。よっぽどヘンな理由があったりするんだろか。

ま、いいや。あたしはスケジュールを思い出しながら、へらへらと笑いかける。

「だ、だったら埋め合わせに、その翌週とかどう？　チケットは無駄になっちゃうけど、渋谷でショッピングとかさ？」

「あ……いいですね、鞠佳《まりか》ちゃんとお出かけ、とっても楽しそうです」

今度は花咲くような笑顔を浮かべた。かわいい。

「鞠佳ちゃんはフォローも上手で、明るくて、とってもかわいいですよね……」

「え、なに急に」

「そんな鞠佳ちゃんと休日も会えるなんて、嬉《うれ》しいです」

「ええー、褒め過ぎだよ！　ま、そこまでのことは……あるかも、だけどね！」

いったん調子に乗ってから胸を張ると、冴ちゃんは無防備に笑った。

冴ちゃんは笑い上戸だ。楽しませがいがある。だから、ついついいろんな話をしたくなっちゃうんだよね。好感度高い。

一緒に更衣室に入って着替え、駅までの帰り道。

きょうは冴ちゃん、一度家に帰ったみたいで、いつもの制服姿じゃなくて私服だ。

でもあたしはむしろ服装よりも、小物に目がいった。

「冴ちゃん、その鞄《かばん》についてるのって、もしかしてベンジャミンバロッくん？」

「え？　ああ、そうなんですよ、よくご存知ですね」

「最近その話題があったからねー……」

冴ちゃんは観葉植物くんのストラップをいくつもつけてる。

他校の子もつけてるってことは、本当に流行ってるのか……。

「やっぱり、どこかに引っ掛けて外しちゃいそ……」

「え？　……そうですか？」

冴ちゃんがびくっと反応をした。妙に暗い目で、観葉植物くんを見下ろしてる。

「あ、いや。あたしがそういうタイプってだけかも。たぶんイヤリングとかも、すぐに落としちゃいそうだし、あたし」

ちなみにあたしのは家にしまってある。無くすのヤだしね。

それからもしばらく冴ちゃんはストラップを見つめてた。よっぽど気に入ってるのかな……。

「あ、ごめんなさい。えと……鞠佳ちゃんって、ピアスとかつけてませんよね。耳の形がきれいだから、似合いそうなのに」

「ええー？　だって痛そうじゃん、ピアス開けるのとか。イヤリングで十分だよ」

嫌な顔をして、怖い話が苦手な人みたいに両耳を押さえる。

「冷やせば無痛みたいですよ。それとも……私が、開けてあげましょうか？」

「えー……？　まあ、じゃあ、どうしてもつけたくなったときは、そのときはお願いしようかな……。っていうか、そういう冴ちゃんだってピアスしてなくない⁉」

ぱっと長い黒髪を払って耳を確認すると、真っ白できれいな耳たぶが見えた。

「やん」

冴ちゃんはくすぐったそうに身を悶《もだ》えさせて、あたしの腕から逃れてった。

「でも、楽しそうじゃないですか？　人の耳にピアス開けるの」

「ありえないありえない。ああっ、想像しただけで背筋がぞわぞわしてきちゃった……うう」

身震いするあたしに対して、冴ちゃんはあくまでも笑ってる。冴ちゃんって、意外とSっ気あったりする？　やば。あたしの周りには絢《あや》だけで間に合ってるってば。

そんなことを話してる間に、駅までやってきた。スーツ姿の波に紛《まぎ》れながら、ひらひらと冴ちゃんに手を振る。

「それじゃあ、来週の土曜日だね。詳しいことはまた連絡するから」

「はい、ありがとうございます。ああでも、鞠佳ちゃんの耳にピアス開けたいなあ」

「もー、しつこいってばー」

エグみの残ったキャベツの芯《しん》をかじったみたいな顔で告げると、冴ちゃんは口元に手を当てて上品に微笑《ほほえ》んでいたんだけど。

でも、あれ。

なんか一瞬、冴ちゃんの目が笑ってなかったような。

「冴ちゃん？」

「はい？」

うーん、気のせいかな？

「それじゃ、またバイトでねー」

「はぁい」

冴ちゃんはずっとニコニコと品のあるお嬢様な笑顔で、あたしを見送ってくれた。

でも、なんか冴ちゃんみたいな子を見てると、絢の気持ちもわかるなーって思う。

この子があたしの口先や指先でいろんな表情を見せてくれたら、楽しいだろうな、って。

いえ、これは浮気《うわき》とかじゃなくて、ただの妄想ですから！

ま、あたしもちょっとはタチ力ってやつ、あがってきたのかな？


そしてついに今週末。とうとうやってきました。ダブルデートの日が。

＊＊＊

待ち合わせはＪＲ水道橋駅。でもその前に、あたしは最寄り駅で絢と待ち合わせてた。

絢も緊張してるだろうから、先に合流しようね、ってあたしが誘ったのだ。

九月末の天気は暑すぎず寒すぎずで、ちょうどいい。秋物のセットアップが楽しめるようになってきたので、あたしの気分もお空と同じく秋晴れって感じ。どこからか金木犀《きんもくせい》の香りも漂ってくるようだ。

まさしくデート日和！

絢はいっつも定刻の五分前にやってくるから、あたしは待ち合わせ場所に先んじて到着。それまで手鏡見ながら前髪を整えたり、お化粧を最終チェックする。風の強い日じゃなくてよかった。

きょうのあたしはかわいめのリボン袖《そで》なワンピース。フレアスカートはミニで、だけど甘くなりすぎないように配色はモノトーンでかっちりとまとめた。

フェミニンな格好はあたしの趣味だけど、絢の好みでもあったりする。

いや、だって、せっかくデートなんだから、かわいいって思ってもらいたいし……的な。

結局、目が冴《さ》えちゃって、普段より一時間も早く起きて支度《したく》したんだよね。

そんな風に朝から準備してたら、お母さんに見つかって『おや、デート？』なんて冷やかされたりして……。

一応『女の子と遊びに行くだけだから！』って返しておいた。ウソはついてないよね、ウソは。その女の子があたしのカノジョだとは言ってないだけで！

はあ、いつかお母さんに絢を紹介する日がきたりするのかな……。死ぬほど緊張しそう。まあそれは置いとこう。デート前に余計な心配まで抱え込むのは積載量オーバー。

手鏡をパチンと閉じる。……うまくできたと思うけど、どうかなあ。

ソワソワして待ってると、人混みにまぎれて絢がやってくる。

特別背が高いわけじゃないのに、すぐにわかった。

だってなんか、キラキラしてるんだもの。

絢は、五分袖の黒ブラウスと、オレンジのプリーツスカート。シックにまとめられたコーディネートが絢の落ち着いたエレガントな雰囲気とマッチして、なんだかいつもよりもさらに大人っぽく仕上がってる。

「おはよ、鞠佳」

「お、おはよう、絢」

きれい。甘い匂《にお》いがしそうなスタイルに、あたしの頬《ほお》が熱くなる。

「おめかししたあたしの恋人……か、かわいい……」

「そう？　ありがと」

絢は休日のバリキャリお姉さん、って感じの微笑みを浮かべる。そのままあたしの腕に腕を絡《から》めてきた。

あ、バニラとローズの香り。ちゃんとプレゼントをつけてきてくれたんだ、嬉しい。いやでも、ちょ、ちょっと。まだお昼ですよ？　絢さん。

妙にドギマギしつつも、いったん腕をほどいて駅のホームに向かう。乗り換えが面倒なので、新宿に行ってから、ＪＲで水道橋へと向かうことにした。

「鞠佳こそ、とってもかわいいよ。私のために髪もお化粧もがんばってくれたんだね」

絢のチェックは細かいから緊張するけど、でも、だからこそ張り合いがある。

やった、かわいいって言われた。きょうの目的達成だ。

それはそうとして、目の前にもっともっとかわいい人がいるわけで。素直には受け止められないあたしなのです。

「べ、別に……。いつもとおんなじだし」

「そう？　じゃあ、ただ鞠佳がかわいいだけか」

新宿へと向かう電車に乗ったあたしたちは、つり革に摑《つか》まりながら、休日ののんびりとした空気感を楽しんでた。

「……絢ってば、よくそんな温泉のマーライオンみたいに口から褒め言葉が出てくるよね」

「思ったことを言ってるだけだよ。鞠佳がかわいいのは世界の真理」

「いや、わかんないけど……。だったらほら、褒め俳句ってやつやってみてよ」

「褒め俳句」

「そう。俳句のリズムに乗せて褒めるって遊び。五七五で褒めるの。お題は『遊園地』で」

「ゆうえんち。いつもなんか……こう、賑《にぎ》やかで、たのしいね」

そもそも五七五になってなかった。

「予想以上に下手だった！」

絢がボケだかなんだかわからないような顔で、首を振る。

「お題がよくないよ。『鞠佳』でやらせて」

「いいけど……」

それなんか変わるの？　と思いつつやらせてみる。

「かくとだに　えやは伊吹の　さしも草　さしも知らじな　燃ゆる思ひを」

「なんて⁉」

「百人一首だよ」

だよ、と言われましても。趣旨理解してる？

「……てかそれ、俳句じゃなくて短歌じゃない？」

「君がため　惜しからざりし　命さへ　ながくもがなと　思ひけるかな」

またなんか言ってる……。

絢が「お題『鞠佳』なら無限に出てくる」とつぶやく。あたし百人一首知らないけど、きっと重い恋の歌なんだろう……。

ひとりなら持て余しちゃうような距離も、ふたりならあっという間。たまに訪れる無言の時間すらも心地よくて、あたしたちはすぐに水道橋へと到着した。

きょうは楽しい日になるといいな。

かくとだに えやは伊吹の さしも草
さしも知らじな 燃ゆる思ひを
君がため
ながくもがなと

ううん、あたしが楽しい日にしてみせるよ。

だって、ダブルデートに緊張してた絢に、『任せて』って言ったんだもん。


「おっす」

「やっほー、わ、あややの私服大人っぽい！　かっこいい！」

合流するやいなや、早速、悠愛《ゆめ》が黄色い声をあげてきた。

せやろせやろ。一緒に遊んで恥ずかしくないかどうかの第一関門、ファッションチェックは、余裕の顔パス、満点合格。なんたって、この榊原《さかきばら》鞠佳の恋人だからね！

そういうふたりこそ、気合入ってるなって感じ。知沙希《ちさき》と悠愛にとってもきょうは、お外デートの日だもんね。

知沙希は黒パンツのモノトーン配色コーデ。ワイドパンツに白ブラウスを着て、その上にノースリーブのワンピースを重ねてる。前を開いたジレっぽいおしゃれな使い方だ。背が高いから、すっごくキマってる。

対する悠愛は、チェック柄のサロペットスカートで秋感ありあり。上はシンプルなベージュのリブニットで、とことん甘かわいいガーリーだけど、つば広なハットがちょうどいい感じに抜き感あって、めっちゃかわいい。悠愛のくせにかわいすぎるじゃんか！

あーもう、なんか一緒にいてすっごく気分がアガってくる。あたしたち今さいきょう！　この街でいちばんさいきょう！　みたいな。

ひとしきり満足したところで、あたしは自分の仕事に戻る。

きょうの鞠佳は、円滑に会話を回すための潤滑剤だ。横に突っ立ってる恋人に胡乱《うろん》な目を向けて、さっそく突っ込みを入れるのだ。

「今、あややって呼ばれてなかった？」

「勝手にそう呼ばれてる」

「いや、だってさ、考えてみてよ」

おバカキャラの悠愛が腰に手を当ててまたバカなことを言い出そうとする。言う前からわかる、積み上げてきた信頼感。

「不破《ふわ》絢、ってさ、名前に威圧感ありすぎでしょ？」

「なるほど。なるほど？」

「はちゃめちゃにつよそーじゃん」

ふわあや。確かにア行の音が強い気はする。かっこよくて、絢に似合ってると思うけど。

そんなこと言われた絢は、ぼんやりと小首を傾げてた。

「あんまり言われたことなかったかな」

「絢の周り、年上の人ばっかりだからじゃない？」

「それはあるかも」

バーでアヤちゃんアヤちゃんって可愛《かわい》がられてるもんね。いや、これは嫉妬《しっと》とかではなく！

だからね、と悠愛が両手を広げて、すしざんまいみたいなポーズをした。

「せめてあだ名をかわいくすれば、みんなももっと親しみやすくなるんじゃないかなー、って思って、さ！　どう!?　この天才的閃《ひらめ》き！」

宇宙で自分が一番正しいと思ってるようなドヤ顔に、ここはひとつ乗ってやろうか……、とイタズラ心が芽生える。

あたしは絢にかわいく微笑みかけた。

「あやや♡」

「なに？　まりり」

両者、白々しい顔で見つめ合う。うん、痛み分けってとこかな……。

「ユメ、あややはない」

「うっそー！　かわいいのにー！　ふたりともセンスズレてるんじゃない!?」

「お前だお前」

知沙希とあたしで即席の突っ込みサンドイッチができあがった。具の悠愛は「なんでー！」と頭を抱えた。

絢はというと……あ、ちょっと笑ってる。よかった。悠愛のスベリ芸も無駄じゃなかった。

やるじゃん悠愛。褒めてつかわす。

「ま、そんな感じで。きょうはほどほどによろしくね」

「うん、よろしく」

知沙希が笑いかけ、絢がうなずく。休日に取引先の人と出会ったみたいな、適度な距離を保った挨拶《あいさつ》。

その間に、割って入る。

「もう遊園地ではしゃぐ年でもないしねー」

「イエーイ！　遊園地イエーイ！」

「うるさいな」『うるせえ』

すかさず両手を空に突き出した悠愛に向かって、またもダブルツッコミが炸裂《さくれつ》した。くそっ、このままじゃぜんぶ悠愛にもってかれる！

といったところで、絢もまた、小さく手を挙げた。

「ゆうえんち、いえーい」

「絢⁉」

「イエーイ！」

悠愛のハイタッチ待ちに、ぺちんと手のひらを合わせてた。

大丈夫⁉　キャラ崩壊してない⁉

「こういうところに、友達と来るのは初めてだから、楽しみだよ」

「え、そうなん？　なんか意外だな」

「うん。行きたいときはひとりで行ってたから」

「お、おお……ひとり遊園地か。強度高いな、不破」

自称楽しみらしい絢は、ほとんど表情の変わってない顔で、あたしに手を伸ばしてきた。

「じゃあ行こっか、青春のダブルデートってやつに」

「う、うん」

や、ちょっと友達の前だと恥ずかしいっすね、こういうの。

いや、普段あたしは明るく楽しいキャラで売ってるもんで、恋人の前で照れる顔とか見せるの、なんか抵抗があるっていうか……。

きょうの目的は、絢がうちのグループの一員として一緒にやっていけるんだよ、って、悠愛と知沙希にプレゼンすることだ。

ダブルデートはあくまでも建前《たてまえ》。四人で遊びに行きやすくするための口実というか、そういう感じのやつなので、別に友達として振る舞っても目標は達成できるのだ。

なんだけど！　悠愛と知沙希はごく自然に、仲良し姉妹《しまい》みたいに手を繋《つな》いでた！

まじか、大胆すぎる……。

いや、でも、やらしい雰囲気とかは微塵《みじん》も出てないし、つまりは堂々としてればいいってことなのかな……。

あたしはおずおずと絢の手を取る。

ひんやりとして、すべすべ。柔らかい。

近くに友達がいるからペースが乱されてるだけで、デートなんて別に初めてじゃないのに……なんだか緊張して、小さく頭を下げた。

「ふ、不束者《ふつつかもの》ですが、よろしくお願いします……」

絢があたしを見て、ほんのりと頬を赤らめた。

「あ、うん。……わかった。大切にします」

なんだこれ！　ぜんぜん堂々とできないんだけど！　照れすぎる！

「うわ～、なんかふたり……やらしい空気出てるぅ」

「心外だ！」

両手でオーバーに顔を隠した悠愛に叫ぶ。そっちとこっちでなにが違ってるんだよう！

「しょうがないよ。鞠佳がえろいから」

「ちょっと絢ぁ!?」

「えっ……そ、そうなの？　ドキドキ。具体的にどうなの？　どうなの？　ドキドキ」

「聞かれたって答えないからね！　ねえ、絢！　ぜったいダメだからね！」

恋人の癇癪《かんしゃく》を受け流すみたいな顔で、肩をすくめる絢。そっちが火種撒《ま》いたくせに！

悠愛がたったったと知沙希の下へと追いついていき、背中で聞いてた知沙希は振り返りつつニヤニヤ顔。

「バカップル、イチャついてないでいくぞー」

「うぐぐ」

からかう隙《すき》があったら見過ごさないのが、知沙希の長所だ。いや、短所かな！


東京ドームシティアトラクションズは、その名の通り、東京ドームシティ内にある入場料のいらない遊園地だ。昔は後楽園ゆうえんちって呼ばれてたらしい。

遊園地とは言うものの、近くにショッピングセンターがあったり、日帰り温泉のラクーアがあったり、都内のお手軽デートスポットとして定評がある。出入りも自由だから、ご飯食べるところも好きに選べるしね。

しかし、きょう来たのは、アトラクション制覇！　とかではなく。

「そうそうこれこれ」

イベントをやってるのだ。テンション上がった知沙希が受付に小走りで駆けてゆく。『リアル脱出ゲーム』っていうやつらしい。名前ぐらいは聞いたことがある。

アミューズメント施設の中を練り歩き、時には立ち止まって謎《なぞ》を解いたりして進めるイベントらしい。

あたしはよく知らないんだけど、知沙希が詳しくて『いこいこ』って言い出してきたのだ。

「キット買ってきたよ。ほらユメ」

「鞠佳も、どうぞ」

知沙希と絢が、受付で買ってきてくれた。お金を渡しつつ、謎解きキットという名のクリアファイルを受け取る。

ファイルにはいろんな紙が挟み込まれてる。例えば、観覧車へ向かえ、みたいな指示が書かれていたりして、そこでさらにヒントをもらって次の目的地に向かったりするらしい。ちょっとしたオリエンテーションかな。

知沙希が悠愛に説明してる間、あたしも絢に話を聞く。

「絢も知ってるの？　脱出ゲーム」

「何度かやったことあるよ。今回のは、ひとりでも行くつもりだったし」

「なにそれ、誘ってよ！」

「鞠佳って、こういう頭つかう遊び苦手かなって」

シレッと言い放つ絢の余計な一言に、あたしはこめかみをひくつかせた。

絢は確かに学年トップクラスの秀才だけど、あたしだって勉強できるほうだ。

えっちのときとは違って、こっちはぜんぜん逆転できるんだぞってところ、見せてやる……。

「言ってくれるじゃないの絢……。そうね、もしかしたら絢はあたしを最近ペットみたいな気分でかわいがっていたのかもしれないけど、そろそろ思い知らせてやらなきゃいけないかもしれないわね……」

謎解きキットを開く。中にはクロスワードパズルのようなものが入ってた。これならあたしだってやったことあるし、勝ち目は十分あるだろう。よし。

「なら勝負しよ？　絢」

絢は微妙な顔をしてた。なんで！

「対抗心燃やすだけムダだよ。鞠佳は私に勝てないもの」

なんなのそのラスボスみたいなセリフ。

「だったら、もし勝てたらどうするつもり？」

「百万円あげる」

「すぐお金を持ち出すなよ！」

しかもこいつ負けたら本気で百万円をくれそうだから、たちが悪い。人と人の会話は冗談とユーモアの接着剤で結びついてるんだってこと、いい加減覚えて。

「じゃあお金じゃなくて、罰ゲームね。そうしよう。あたしが勝ったら絢をすっごい恥ずかしい目に遭わせてやるんだから。ふふふ」

「いいけど、それ、鞠佳が負けた場合も私が罰ゲームきめていいの？」

「え？」

しまった、口が滑った。罰ゲームは言いすぎだったか。

いやしかし、絢にもしかしたら勝てるかもしれないチャンスを見過ごすわけには……！

しぼんでゆくあたしの勢いを見て、逆に絢が調子に乗り始めた。

「ああ、そうだよね。まぐれで勝てたときは、ごほうびがほしかっただけなんだよね。『絢、あたしすごいでしょ、ほめて、ねえほめて』って、仔犬みたいに。かわいいね、鞠佳」

「ち、違うし……本気で勝てるって思ってるし……」

頭を撫《な》でられる。でもセットした前髪には決して触ってこない辺り、絢の余裕を感じられて釈然としない。

「思ってるなら、罰ゲームに躊躇《ちゅうちょ》する必要ないもんね。いいんだよ、鞠佳。だって鞠佳はかわいいんだから。都合のいいワガママも、ぜんぶゆるしてあげる。ほれた弱みだね」

あたしを挑発するときだけ饒舌《じょうぜつ》になりやがってよー！

「わかったよ！　やるわよあたしも罰ゲーム！　見てなさいよ！　こっちには知沙希がついてるんだから！　悠愛だって基本役に立たないだろうけど、三本の矢だかんね！」

「そこまで言っておいて三対一か」

知沙希が苦笑してた。

だって絢の罰ゲームとか！　こわいし！

「わかった。がんばってね、鞠佳。でも、鞠佳からの罰ゲームかあ。なんかそれも楽しそう」

「わざと負けたりするのナシだからね！」

絢はそんなことしないだろうけど、一応釘《くぎ》を差しておく。

肩肘張って歩き出すと、なんか絢に負けまいと気を張ってたあの頃《ころ》を思い出すなー……。さすがにもう触るものみな傷つけるような虎《とら》には戻れないけど、せめて野良猫《のらねこ》ぐらいの野生は残していたい。

改めて謎解きキットを眺める。

「これ、ゲームとのコラボなんだ。え、解くのにゲームの知識が必要だったりしないよね？」

「それはだいじょうぶ」

そっか、よかった。いや、どうかな。もし必要だったら『やーめた』って言えたのにな……。

いやいや、この期に及《およ》んで負けた後のことばっかり考えるのはナシ！　往生際が悪すぎる！

勝ったときのこと、考えよ！

「ふっふっふ、絢への罰ゲームかあ。なににしようかなー」

恥ずかしい台詞《せりふ》言わせたり、恥ずかしいコスプレさせたりとか。

あるいは、十分間、カラダを好き放題くすぐったりとかもいいよね。絢の笑い転げる姿とか、めっちゃレアじゃん。楽しそう！

「見てなさいよ、不破絢……ふふ、くくく」

「なにを企《たくら》んでるんだか」

「イイコトに決まってるでしょ」

「鞠佳からのえっちな罰ゲーム……。確かに、いいことかも……」

「日も高いうちから、なに言ってんの⁉　頭にそれしかないのか⁉」

「そうじゃないけど。鞠佳の思わせぶりな言い方がいけないんだよ。かわいらしく期待をもたせてくるから」

「またあたしのせいにするー……」

絢の頭が、煩悩まみれなだけでしょ！

ほんと、あたしがこうなったのは誰《だれ》のせいだと思ってんのか……。責任とってくれ。いや、責任は取ってくれてるのか？　わかんないけども！

通りがかり、柱にかわいい女の子のキャラクターが描かれてるのを見た。そういえば、クリアファイルにもキャラが印刷されてたな。

「ガールズバンドモノの音ゲーだってさ。絢も知沙希もやってるの？」

「うん」

「マリもやってみる？」

「いや、あたしはそういうのはいいや。なんかゲームってぜんぜん長続きしないんだよねえ」

「飽きっぽいわけでもないのにな。なんでだろ？」

「うーん。基本的に、一人遊びが向いてないんだよねー。スマホふさがっちゃうと、気になっちゃうし」

知沙希も絢もあんまりピンと来てないようだった。うん、わかるよ。あたしの友達で返信遅いナンバーワン、ナンバーツーだもんな。

最初のチェックポイントに向かって歩く。

早速、園内の奥の方だ。家族連れや、あたしたちみたいな学生が同じようにキットを持ってうろうろしてる。この人たちについていけば、コースは迷わずに済みそうだ。

先導するのは、今度は絢と知沙希。ふたりでソシャゲの話をしてる。なるほど、このふたりが仲良さげなのは、こういうところか。

さすがにゲームの話には首を突っ込めないので、隣にいた悠愛を見やれば、なにやら呆《あき》れ顔。

「ちーちゃん、バイト代をけっこーソシャゲに費やしてるんだよねー……」

「え、そうなんだ。いや、まあ、好きなものにお金を出すのはいいと思うけど」

「さすがバイト代の散財に定評のあるまりか」

「ふふ、月初に使い切ることなんて常習犯。なんならバイト代が出た当日に使い切ったこともあってよ」

「まりか、ぜったいソシャゲやらないほうがいいと思う！」

「あたしも薄々そんな気がしてる」

「ちーちゃんの二の舞になっちゃうよ！」

「人聞きの悪い」

聞いてたらしい。知沙希が渋い顔でこっちにやってきた。

「知沙希、そんなに使ってるの？」

「マリほどじゃないって」

あたしも最近はちゃんと貯めてますけどね！　絢とのデート代！

「てか、いーんだよ、ユメは妬《や》いてるだけだから」

「妬いてるって、ゲームに？」

「ゲームに」

そんなことある？　自分に置き換えて考えてみる。

もし一緒にいるときに、絢がずっとスマホゲーに夢中になってたら……まあ、あたしも面白くはないかも。構えー、構えー、ってせっついちゃうな。

なるほど、ゲームに嫉妬。ありえる。

知沙希は、生徒に迫られて迷惑がる教師みたいに、小さくため息をついた。

「ユメはお姫様だから、全部自分が一番じゃないとイヤイヤ言うんだよ。だから適当に力抜いて相手しないとさ」

えっ、そんなこと聞こえるように言っちゃっていいの？

あたしは思わず後ろからついてくる悠愛の顔を窺《うかが》ってしまう。

悠愛は「もー」と頰を膨らませてた。思ったより平気そう。知沙希も、内容の割にはぜんぜん軽い口調で突き放す。

「うちらは、マリんとこみたいに新婚じゃないからねー。こういうのしょっちゅうだよ。ユメってば、マリにもすぐジェラるんだよ」

「ええ？　あたしにぃ？」

「そうそう。自分はマリと違ってかわいくないし……みたいなことすぐ言って、構ってちゃんでウザいのなんの」

ああー、悠愛ってば自己評価低いからなー。

さすがのあたしもここで『そんなことは……ま、あるけどね！』と言えるほど図太い女ではないので、愛想笑いでごまかす。

「そのあんたを選んだのはわたしだって話よ。人の審美眼までコケにするなって」

ってあれ？　これ結局のろけじゃない!?

むすっとした顔の知沙希には、その自覚がないみたいだけど。

「知沙希ってば、もっと素直に言えないわけ？」

「なに？　好きとか、大好きとか、愛してるって？」

「ま、まあ、そういう感じの」

人混みの中で恥ずかしめのワードをさらりと口にした知沙希に、思わず赤面してしまった。

知沙希ってそういう、あたかも人生すっぴんノーメイクで生きてます、みたいなところある。

「口に出すのって、大事なんだからね。気持ちって、言わなきゃ伝わらないんだから」

「でも、そんなこと言うの、ベッドの中だけでよくない？」

ノーメイクどころか、骨が見えてるぞ知沙希！

「なんなのあんた、海外ドラマ生まれ海外ドラマ育ちなの？」

知沙希はようやく小声になった。悠愛に聞こえない程度に。

「心配してくれてんのはわかるよ。サンキュね、マリ」

「それはお互い様だから、別にいいんだけど」

「でも、わたしもね、これぐらいのほうがバランスいいと思うんだ」

「それって？」

「ほら、ユメってすっごい恋愛体質じゃん？」

わかる。恋占いとかに一喜一憂したり、自分より友達より好きな人が最・優・先！　ってところある。

それらが積み重なって相手の男が調子に乗った結果、自分は悠愛に愛されてるし？　みたいな態度で、浮気されてたことが発覚したのが去年のクリスマス。

さすがの悠愛もブチギレして、もう二度と恋なんてしません！　って言い張ったくせに即、知沙希と付き合い始めたらしいので、きっと酸素や水と同じように恋がないと生きていけない女子なんだろう。

確かに。どっちかというと知沙希が冷めてるっていうか、ちゃんと舵取りしてくれてるほうが、バランスは取れてるかもしれない。

「土曜日なんて毎週泊まりに来るしね」

「へー、毎週」

え、羨《うらや》ま。

「だから、ほどほどにしとかないと、わたしだってカラダもたないし……」

氷を削って作り上げました、みたいな女が急に儚《はかな》い目をした。

そんな知沙希を思わず二度見する。へー……えっ⁉

「身体がもたないってなに……？　え、なに、どういう意味……？」

「……ユメが、寝かせてくんないんだってば」

「ちょ、ま、詳しく……。いや、聞きたいような、聞きたくないような……！」

家に土足で上がるような背徳感を覚えつつ、さらに知沙希に顔を近づけて問う。

「ユメね、だいぶすごいよ」

「あんな『キスしたら赤ちゃんできちゃうんじゃない⁉』とか言いそうな悠愛が……？」

「テクとかじゃなくて、なんか……情愛が？　マジでケダモノだから」

なんと……。

うっわ、うっわー……。やばぁ……。

いや、でも悠愛ってがっつくタイプかも……。自分が満足するまで終わらせないぞ、みたいな。本人すぐそこにいるのに、想像しちゃう！

「あんまり調子に乗らせると、その夜がしんどすぎてね……。別にあたしも、嫌いってわけじゃないんだけどさ……さすがに」

「さすがにだよね……」

そうか、このふたり……。知沙希がネコで、悠愛がタチなのか……。思ってたのと逆だな……。いや、思ってないけど！　友達相手にそんなのふつう思わないから！

「ちょっと、なにコソコソしてるの？」

「ひっ」

そこで、後ろから悠愛が割り込んできた。思わずのけぞってしまう。

「え、なに？」

「いや、悠愛センパイ、すごいっす。あたしはまだまだっす……！」

「よくわかんないけど……そうでしょ！　尊敬していーよ、ふふん！」

まさか、こんなとこにあたしのタチとしてのセンパイがいらっしゃるとは、思いもよらなかったよね。

そんなことを話してると、絢がのんきに「ここだよ」と行きすぎたあたしたちに声をかけてきた。いやはや、のっけから友達の性生活を聞かされるとか、なんつーダブルデートの始まり方なの、ホントに……。

って、そんな話に気を取られてる場合じゃない！

絢に勝たないと！　罰ゲームが！　あたしのカラダがもたなくされちゃうから！

「じゃあ罰ゲームね」

東京ドームシティのカフェにて、突っ伏したあたしに絢の無情な声が降り注《ふそそ》いだ。

「……はい」

三対一だったのに……。

絢はまるで手品のように、次々と目の前のパズルを解いていった。

あたしは数学の公式を新しく習う日に欠席してしまった翌日の授業みたいに、なにもわからず、無力感を味わうはめになったのだ……。

甘く見てた……クロスワードパズルなんて最初の最初だけで、あとはなんか変な文字列ばっかりだったり、図がいっぱい書いてある紙を渡されたりで、あたしの経験値はまるで赤ちゃんだった……。ばぶー……。

「初めての脱出ゲームは、楽しかった？」

優美に足を組んだ絢は、コラボドリンクを飲みながら、感想を求めてくる。

「まあ、楽しかったかな……。観覧車に乗って、上からどこかにある文字を探すとか、みんなであーでもないこーでもないってガヤガヤ言い合うの、なんか新鮮だったし」

少なくとも退屈はしなかった。建物の中にあるブースでは、アニメのキャラが話してくれたりして、あたしも試しにゲームしてみよっかなって気になったし。

高校のオリエンテーションも、こういう感じにしてくれればいいのに。

でも……だけど……！

「知沙希ぃ、脱出ゲームやってるんじゃなかったのかー」

悲嘆に暮れたまま、あたしはここにいない友人の名前を呼ぶ。

あっちのカップルは星を見に行きたいだとかなんとかいって、近くにあるっていう宇宙ミュージアムに向かった。

あとで合流して晩ごはんを食べよう、という感じだ。

途中でカップルごとに分かれるのも、ダブルデートの醍醐味《だいごみ》らしい。

罰ゲームに辱《はずかし》められるあたしを気遣ってくれたのかもしれない。だとしたら、なんと優しい友達だ。

「松川《まつかわ》さんは普通の人にくらべたら、よくできていたほうなんじゃないかな。それで罰ゲームにすることなんだけど」

「優しくない！」

がやがやと賑わうコラボカフェの店内で、あたしと絢はさぞかし仲のいい友達に見えてることだろう。「ね、あの人って声優さんとかかな……？」「超美人だよね……」みたいなヒソヒソ声がどこかから聞こえてきた。絢と出かけるといつものことなので、なるべく気にしないことにする。

しかし、ここでコソコソ話してる内容は、不穏かつ遺憾極《きわ》まりない。

絢はバッグからメモ帳を取り出した。ぺらぺらとめくる。

「暇なときに、いろいろと考えてて」

「なにを？」

「鞠佳にさせたい罰ゲーム」

「どういうこと」

えっ、まさかそれいちいちメモってんの⁉　ウキウキしながら『いつ罰ゲームさせよっかな』とかほくそ笑んでるわけ⁉　こわいんだけど！

「とりあえず今、百八個ぐらいあるから、適当な数字を言って。鞠佳に選ばせてあげるよ。やさしい？」

「優しくなーいー！」

それ聞いて『あっ、優しい』とか思うやつ、完全にただのドMでしょ。手遅れなやつでしょ。

いや、いやいや……あたしは絶対にそうならないから。ならないってば。

「ちょっと試しにひとつ教えてよ。どういうのがあるのか」

「いいよ、何番?」

「じゃあ、二十八」

絢がメモをめくる。なにこの『お前の死に方を選ばせてやる』みたいなの。

「えとね。『鎖骨にキスマークをつける。デコルテ見せのときは、その上に絆創膏《ばんそうこう》を貼《は》ってあげる』です」

……あれ?

意外と易しい?

キスマークかあ。絢があたしの首元に顔を寄せて、ちゅうちゅうと吸うのか……。

跡がついたまま外歩くなんて、なんか、ちょっと照れる。でも、隠させてくれるっていうんだったら、まあ、ぜんぜん。

「ちなみにその下は『ハメ撮り』でした」

「落差ぁ!」

あたしはバンバンとテーブルを叩《たた》く。いくら盛況なカフェの中とはいえ、誰かに聞かれなかったでしょうね……。

周りに聞かれても絢は『別によくない？　もう会わないんだし』みたいな顔をするんだろうと思うと、あたしひとり恥ずかしがってるのがめちゃくちゃ損してる気がする！

「何番にする？　二十九？　今はちょっとムリかな。ハンディカメラ買わないと」

「絶対に選ばないから！　通販ページ開かなくていいから！」

「大丈夫だよ、私ひとりで楽しむだけだから。ほら、鞠佳の好きなマンガの、ふたりべやでもやってたじゃん」

「ないわ！　日常系ほのぼのマンガだぞ！」

絢の持ってるメモ帳が冗談じゃなくて処刑リストに見えてきた。目を盗んで焼いたほうがいいかもしれない。絢がトイレいった隙がチャンス。

さて、最初のほうに過激な内容が多いのか、あるいはネタが切れつつある後半に過激な内容が多いのか……。

さっきまでの脱出ゲーム脳がぎゅんぎゅんと回転するけど、これそもそも解けない問題のやつだ。渋ってても絢を楽しませるだけだとわかってるので、もう適当言おう。

「ああもう……じゃあ、五十四番……」

根拠なく真ん中辺りを選ぶ。

絢がメモ帳をめくって。

「あー」

「……」

絢は小さく口を開ける。あたしはじっとその顔を見つめるけど、絢はいつもどおり気だるそうな表情で、どこにも変わったところはない。

まあ、さっき『ハメ撮り』って言ったときも表情そのままだったしね……。

「うん、鞠佳」

ぱたりと絢がメモを閉じた。

「はい」

「ちょっと多目的トイレにいこっか」

「あたしなにされるの⁉」

飲み終わった絢のコラボドリンクとあたしのカフェオレを片付けて、カフェを出る。

気持ち的には刑務所行きの囚人《しゅうじん》だ。『罰ゲーム』ってこんなに重い響きだったかな……？

もっとこう、変顔したり、マズい飴《あめ》食べさせられておしまーいってやつじゃなかったかな……。

「そもそもなんでデート中になのよ……帰ってからまた絢んちにでもいって、やればいいじゃないのよ……」

「きょうの鞠佳、とくにかわいいから」

「それぐらい我慢しなさいよ……！」

どんどんと人気のない方に歩いてく。

　この先、特設ステージに『榊原鞠佳・処刑場』という看板が立てられていてもおかしくなさそうな雰囲気だ。なぜこんなことになってしまったのか……。

　たどり着いたのは、モール内でも特に辺鄙《へんぴ》な場所にあるお手洗いだった。まるっきり人通りもなく、従業員もこなさそう。

　誰もいないので、誰の目も気にせずに絢と一緒に多目的トイレに立ち入る。中は清潔で真新しかった。そこそこ広くて、消臭剤の爽《さわ》やかな匂いがする。

　女同士ふたりでトイレへ。この時点でだいぶ恥ずかしい。普通じゃない……。

「なんでこんなとこまで……」

「だって、混んでる多目的トイレに入ったら、ほんとうにひつような人が困るでしょ。ちゃんと配慮しないとだめだよ、鞠佳」

「なんでそこだけ正論なの⁉　配慮するならあたしにも配慮してよ！」

　たしなめられるように言われてて、めちゃくちゃ納得いかない。

　着衣のまま便座に座るよう促される。適当な場所にバッグを置いて、内股気味に腰掛けた。

　スカートの裾《すそ》をぎゅっと握る。

　うう、落ち着かないよー……。

「ヘンタイ、ヘンタイ、ヘンタイぃ……」

「まだなにもしてないのに」

「だって、ふたりでトイレに入るとか……。ちっちゃい子どもじゃないんだから……」

「鞠佳」

ささやきながら、絢がキスをしてきた。

こんなとこでキスされても……という気持ちはありつつ、「ん」と声を漏《も》らしながら、受け入れる。

何度か、ちゅっちゅっとキスをして、絢が顔を離す。

あたしはそれを見上げつつ、おそるおそる笑みを浮かべた。

「……お、終わり？　罰ゲームは『トイレでキス』ってことね。そっかそっか、じゃあ出よっか、絢」

立ち上がりかけたあたしの肩を、がしっと押さえ込んでくる絢。

「今のは怯《おび》える鞠佳がかわいかったから、つい」

そんなことだと思いました。

罰ゲームの前哨戦《ぜんしょうせん》としてのキス。じゃあ別に従わなくてもいいのでは？　ってひねくれた気持ちが巻き起こりつつ、でもやらなきゃ終わらないいんだろうなあ……という諦《あきら》めのほうが断然強かった。

「口開けて、舌出して」と命令される。あたしは口を開いて、唇の隙間《すきま》からんべーと小さく舌を出す。絢も同じようにして、あたしの中に舌を入れてきた。

ミルクティー味の舌先が、あたしの舌先をツンツンとつつく。軽く舌をちゅ～と吸ってあげると、気分がよくなったのか絢はあたしの口内を貪《むさぼ》り出した。

キスに応《こた》えてあげると、絢はいつも嬉しそうにする。普段なら言葉のいらないコミュニケーションで、気持ちと気持ちが通じ合ってるみたいな気がするから、あたしもキライじゃない、んだけどさ。

これで罰ゲーム、なかったことにできないかなあ。

舌と舌を絡め合う。ここがどこかも気にならなくなってくるほどに、頭がぼーっとしてきた。とろりと目尻の緩《ゆる》んだ絢の瞳《ひとみ》に囚《とら》われ、まともな思考はトイレの外に押しやられる。

愛で固めたゼリーみたいなぷるぷるの舌が、あたしの頬の裏を内側からこそぎ回る。脳まで絢に愛撫《あいぶ》されてるみたい。

執拗《しつよう》なキスは降り積もる雪みたいに止まず、息が苦しくなってきた。その辺りで、絢がようやくあたしを解放した。けど「もうちょいかな」と言って、味見してから砂糖を足すような気安さで、さらにディープなキスを浴びせてくる。

絢が「よし」と満足した頃には、唾液の橋がかかるんじゃないかってぐらいに、あたしの唇はふやけてた。

デートの最中にこんなキスされて、塗ったリップの香りは跡形もない。もうお腹《なか》いっぱいになりそう……。

しかも問題は、これがまだ準備段階でしかないってこと。

一ヶ月前の、まだ付き合い始めの頃だったら、あたしはおなかを見せて屈服しちゃってたかもしれないけど。さすがに成長してきたから、まだ理性はトんでない。

「で、なんなのよ、罰ゲームは……」

「これ」

眼前にメモ帳を突きつけられた。

読み上げる。

「えー……『恋人の好きなところを二十個言う。言い終えるまで激しく責められる』」

なにそれ。

「責められる、って……もうじゅうぶん責められたと思うんだけど……」

「まだキスしかしてないのに」

「あれで『しか』って……ひゃっ⁉」

絢にスカートをまくりあげられた。ちょっ、ちょっと！

「に、二十個って多くない⁉」

「私なら百個だってすぐ言えるけど、鞠佳は恥ずかしがり屋だから。だいぶ少なくしてあげたんだよ」

「だ、だ、だからってぇ！」

無防備な太ももと、レース生地の白の下着があらわにされる。あたしはめちゃくちゃ慌てた。

その理由は……。

「ここ、外だよ⁉」

そう、当たり前だ。だけど、それだけじゃない。

「それでは罰ゲーム。よーい、スタート」

「っっ！」

嫌がる幼児に治療を施す歯医者さんみたいな強引《ごういん》さで、絢の柔らかい手があたしの下着の中に滑り込んでくる。うそ、うそー！

やばい。絢があたしの体を横から抱きしめてくる。隅々まで手入れの行き届いた女の子の匂いに包まれて、体は思わず勘違いを始める。ここが世界で一番安心できる場所なのだと。

その期待を裏切るみたいに、絢はいきなり指で敏感な箇所をこすり上げてきた。

「ん……ぅっ」

「ふふ」

あたしの耳元に唇をつけて、絢が微笑んだ。

「やっぱり、すっかりおいしそうになってる」

「っ」

意識が蒸発するかと思った。

たっぷりのキスで、あたしはもう準備万端。絢の指の動きを遮《さえぎ》るものなんて、なんにもなくなってた。

きっと、そうだろうなって思ってた。だからヤだったんだ。あんなにも愛し尽くされて、平気でいられるわけがない。だって徹底的に落とされて以来、あたしは絢に美味《おい》しく食べられるために育てられてきたんだから。

「だ、だめだめ、だめだってば……っ！」

スカートの奥から響く水音は激しくて。胸がコルセットで締め付けられたかのように息苦しい。なのに、快楽神経は敏感に信号を発し続けた。

「ペース、はや……激し、すぎっ……」

こんなの、あの温泉旅行以来だ。

目の奥に眩《まぶ》しい光が明滅して、あたしがぜんぶ消えちゃうような感覚。

うそだ。いくらキスで下ごしらえ済まされてたからって、こんなにかんたんに？

絢の本気を思い知ったあたしは、身体をびくびくと震わせる。

「ちょっ、あ、あや……！　ちょ、ちょっとぉ……あやってばぁ……！」

「いいよ、もっと声出してても。ただ、こんな辺鄙な場所だけど、もしかしたら誰かが前を通りがかっちゃうかもしれないけどね」

「っ、だ、だめぇっ……」

ここが多目的トイレの中だと思い出させられて、あたしは喉《のど》を締めて声を抑えた。ふわふわと天に登るように浮かび上がった体が、がしっと手を掴まれた気分だ。

「やっ、やめぇ、やめてぇ」

絢を制止する。絢は聞いちゃいない。

「まずはほら、最初の波だよ。ちゃんと、あじわって」

「えっ、うそ、っ、やっ、だめっ、そんなのっ、やっ……！」

絢の手は、どの指がなにをしているのかわかんないぐらい器用に、あたしを容赦なく責め立てる。まるでどの弦を弾けばどんな音が鳴るか知ってるバイオリン奏者みたいだ。

こすられ、つまれ、潰《つぶ》されて。そのすべてがすべて、急所でしかなくって。

そして。

「〜〜〜〜〜〜っ！」

あたしはレベル一で戦うザコモンスターみたいに、簡単に頭を真っ白にされた。

「っ……っは、はぁ……はぁ……」

ぐったりと体から力が抜けてゆく。

どこか夢見心地な頭が、理不尽を訴える。

どうして絢は経験を積むごとに強くなっていくのに、あたしは弱点ばっかり知られていくのかなあ……。おかしくないかなあ……。

余熱に温められたチーズみたいにとろけながら、そんなことを考えてると、だ。

「えっ、ちょっ、ちょっと絢……!?」

な、なに考えてんの。また指を動かし始めちゃって。

最初は頭を撫でるように緩やかだった手つきだけど、それはあくまでも検診みたいなもの。

あたしがまだまだ壊れなさそうだと確認するやいなや、獲物を追い詰めるような勢いに変わる。

う、嘘《うそ》でしょ。

見上げた絢は、あくまでも普段どおりの穏やかな表情で、無慈悲に唇を動かす。

「さ、二十個だよ」

「こ、こんないじわるされてっ、それで絢の好きな部分言うとかっ、む、無理でしょっ!?」

「むりなら、むりでもいいけど」

絢の指があたしのこすられるだけできもちよくなっちゃう部分を、ピンと弾く。

強すぎる刺激に、瞬間、呼吸が止まる。

痺《しび》れの塊は背筋を走って、あたしの口から「つっっ♡」というハートマークが混じってそうな嬌声《きょうせい》になって飛び出た。

「それだと、鞠佳は足に力が入らなくなったまま、デートの続きをすることになるね。私はどっちでもいいよ。ずっと抱っこしてあげるから」

とろんとした絢の目の奥には、情炎がともっている。

本気の瞳に見つめられて、あたしの意地なんて砂粒みたいにどこかに飛んでいった。

「すっ、好き……っ！　絢の声が好き……！」

「あと十九個」

絶望的に遠い数字だ。耳に届く水音はもう、どうしようもなく粘性のみだらな音色《ねいろ》に変わりつつある。

悩んでる暇なんてない。言わなきゃ、絢の好きなところ。

なんでもいいから、早く。

「絢の目が好き……！」

「うれしいな」

背後から壁が迫ってくる中、追い詰められて走り出すみたいに、あたしはただ口を動かす。

「絢の髪が好き！　絢の唇が好きで、首筋のラインが好き！」

「ありがとう、鞠佳。私も好きだよ」

「絢の私服姿、好きっ！　っっっ〜〜！」

許しを請うみたいに叫ぶけど、絢の指使いはまったく止まらず。

まるであたしをきもちよくするために作られた機械みたいな冷酷さで、あたしを二度目の高みへといざなった。

や、やばい……。一回目と二回目の間隔が短すぎて——それほど高い波ではなかったものの

——体力の残量がゴリッと削れたような実感があった。

目の端に涙が浮かぶ。荒い息をつきながら、いっぱい酸素を吸い込んで、脳に回す。えと、今何個言ったんだっけ……。

「あと十四個だよ」

急《せ》かすような絢の声。休んでるヒマなんてなさそうだ。

「っ、あ、絢のバーテンダー姿、好きだよ。か、かっこいいもん」

「ありがと。私も鞠佳のバイト先の制服姿、好きだよ」

絢がまた指を動かし出した。もう片方の手は、ワンピースの上。あたしの胸に当てられていた。ひい。

思わず、すがりつくように叫ぶ。

「す、好きだって言ってるのにぃ！」

「私も、大好きだよ、鞠佳。あと十三個だね」

まだ半分も言ってない……。この罰ゲーム、早く終わらせないとほんとに立ち上がれなくなっちゃう。それどころか、しんじゃうかもしれない。

なんでもいい、絢の好きなところ。もう恥ずかしいなんて気持ちは、とっくに吹き飛んだ。

大丈夫、十三個ぐらいすぐ言える。

だって、絢のことなんでも好きだもん。

「あ、絢の匂いが好き！　た、体育の授業の絢が好きで、え、っと、真剣な横顔が好きで、笑顔も、ぼーっとしてる顔も、好きっ」

「最後らへんは、顔が好き、でひとまとめかな。だからあと十個」

「なんでぇ！」

ほんといじわる。いつの間にかめくりあげられたワンピーススカートの下から、トップスにまで手を突っ込まれてた。

絢の指があたしの胸の突起をキュッとつまむ。また違った刺激に襲われたあたしは「あっ！」とはしたない声をあげた。

これでようやく半分？　あられもない姿にされたあたしは、なりふり構わずに好きを訴える。それはまるで、許して、許して、と叫ぶようだった。

「いつも想《おも》ってくれて好き！　ほんとは優しいから好き！　でも、ちょっとムッとしてるときとか、意地悪なときも、好き！　好きだからぁ！」

「あと六個」

「あぁっ、うぅ～っ！　だめ、だめだめだめ、だめっ！」

やだ。また真っ白になった。

上も下もびしゃびしゃで、ぽろりと涙をこぼす。

「鞠佳」

絢は少しだけ責めを緩めて、なぐさめるみたいにあたしの唇にキスをしてくれた。

すぐ目の前に、絢の端正な顔がある。こんなときでも、絢はすっごくきれい。あたしはみっともなく泣いちゃってるのに。

「絢のキス、好き……ぃ……」

舌を絡める。与えられた餌をほおばるだけの雛鳥《ひなどり》みたいなあたし。

絢が微笑みながら聞いてくる。

「じゃあこれは？」

その問いはまるで、毒りんごの罠《わな》だ。差し出された果実がキケンなものだとわかってるのに、あたしはなりふり構わずそれを受け取るしかなくて。

絢の責めが再開されて、あたしは絢の腕にしがみつくように身体を折った。その魔法みたいな指先で、あたしなんてどうにでもされちゃうってことを思い知らされながら、毒りんごにかじりつく。

だって絢に狙《ねら》われた時点で、もうあたしは逃げられないんだから。

命令されてもいないのに、ただ無我夢中で、卑猥《ひわい》な言葉を叫ぶ。

「好き！　絢の指、好きぃ！　絢の舌も、絢の胸も、絢の裸も、好き！　絢とのえっち好き！　絢にされて、好きになっちゃったの！」

四度目の波が来る。

裸にされた心は、もう身を守ることなんてできなくて。

絢の腕の中、どこまでも堕《お》ちてゆく。

「きもちいいの好きなの！　絢だから、絢だから、好きなの、好きっ……好き、好きっ……好きぃっ！　っっ〜〜〜！」

それは、今までで一番おっきな波だった。

好きも嫌いも、いいも悪いも、いじわるも優しいも、ぜんぶ『きもちいい』の渦の中。

揺られるどころか、飲み込まれて、しばらく意識が遠ざかる。

波間をぷかぷかと漂う。ただ懐かしい香りに包まれてるような気がした。

五秒か十秒か、はたまた永遠か。あたしは休日の三度寝から目覚めるような気分で、充足と倦怠《けんたい》の中、目を開く。

「っ！」

はっとした。今がまだ、罰ゲームの最中だったことを思い出す。

けれど、そのあとの刺激はこなかった。

涙のにじんだぼやけた視界で、こわごわと、絢を見上げる。

絢は優しく微笑んでいた。

「ふぇ……？」

「おつかれさま、鞠佳」

頭を、ぎゅ……と抱かれる。

「ぁ……」

なんだっけ、と数秒前の記憶を探る。散り散りのパーツが組み合わさって、あたしは得心した。そっか、いつの間にか二十個ちゃんと言えたんだ。

感覚器にちょっとずつ機能が戻ってくると、あたしはずっと絢の袖を摑んじゃってたことに気づいた。

「あ……ごめん……。伸びちゃってるかも……」

初めて浮き輪を手放す幼児みたいに、こわごわと指を離す。

絢は袖のことなんて気にせず、あたしの頭を撫でた。

「いいよ。鞠佳がかわいかったから。でも、鞠佳のメイクは直さなきゃかな」

「うん……」

ぽーっとした気持ちで、あたしは目線の高さにある絢の胸元《むなもと》を見つめたまま。

下着汚しちゃったかな、とか、スカート直さないと、とか。そんなやらなきゃいけないことが踏切の前の電車みたいに通り過ぎてゆく。

あたしの鞄から化粧ポーチを探して取り出してくれてる絢を、狭《せば》まった視界の中央、潤んだ瞳が映す。

そこで、あたしはただ目の前に突きつけられた文章を読み上げるかのように、ひどく無垢《むく》な声をあげた。

意図とかはなんにもなかった。

「……絢も、顔まっか」

「………」

絢は自分の頬を押さえた。

慌てたように見えた気がする。

「……鞠佳」

「ふぇ?」

「愛してるよ」

絢はそう言って、なぜかあたしの胸の先をピンと指で弾いてくる。あたしはスリープ状態から強制起動させられるみたいに「ひゃっ!」と悲鳴をあげたのだった。

「……下着」

「しばらくはそれをはいてて。だいじょうぶ、新品だから」

かわいいリボンのあしらわれたピンク色のショーツを渡された。しかも洗濯物を入れるみたいなジップロックもセットだ。なにこの用意……。

絢に後ろを向かせて、はき替える。

まるで粗相をしちゃった後みたいに、汚れた下着の入ったジップロックを、自分のバッグの奥底に突っ込む。恥ずかしすぎて、もうなにが恥ずかしいのかすらよくわからない……。

慎重に多目的トイレを出る。

ほっ、誰もいない。

まったくもう。責任転嫁するみたいに、絢にうめく。

「てか、なんで替えの下着持ち歩いてるの」

「鞠佳のデートのときは念のため、もってくるようにしてる」

「その念って絢のことでしょ！　あんたの邪念でしょ！」

ああもう、その『はいはいそうだね、そうだね』みたいな目、納得いかない！

早足で絢を置いて歩き出そうとした矢先、なにもないところでつまずきそうになってしまった。絢が当然みたいな態度で、あたしの体を支えてくれる。

「だいじょうぶ？」

「……あ、絢が、やりすぎるからでしょ」

「ごめんね」

めちゃくちゃ自然に謝られて、あたしは黙るしかなくなっちゃう。だってこれ以上絢を責めると、どこかで必ず突きつけられることになっちゃうからだ。

『でも鞠佳、セーフワード言わなかったよね』って。

自分の決めたルールには真面目《まじめ》に従う絢のことだ。プレイ外でセーフワードを茶化《ちゃか》すのは、なんだかんだしてこないとは思う。本番のときに言いづらくなっちゃうし。

だから、突きつけてくるのはもうひとりの自分だ。裏鞠佳だ。

裏鞠佳は性根が悪いので、あんなにきもちよさそうにしてたくせに、なんで拗《す》ねた顔してるの？　ってニヤニヤしながら言ってきて、一切《いっさい》反論できなくなってしまう。裏鞠佳はあたしに一番よく効く言葉を知ってるのだ。あたしなので！

セーフワードのシステムは、予想以上に厄介だ。本当に嫌ならいつでもやめられるっていうなら……それは、もうなにされても合意の上ってことになっちゃうわけで……。

困る。絢に何度も言った『ヘンタイ』って言葉が、全部あたしに跳ね返ってくる。

いや、合意とかじゃないし……。

多目的トイレで絢に何度も何度も高ぶらされたのは、罰ゲームで……。

ふたりで決めた罰ゲームを守らないのは、卑怯《ひきょう》だし……。

あたしの言い訳をもうひとりのあたしが『はいはいそうだね、そうだね』って絢みたいな顔で聞き流してくる。

どいつもこいつも……。

「鞠佳」

絢が心配そうにあたしの手を取って、恋人繋ぎをしてくる。

なんですか。今さらご機嫌取り？　とちょっぴりささくれ立った気持ちで見やる。

絹を撫でたようなしっとりとした声でささやきかけてくる絢。

「私の買った下着をはいてる鞠佳、私のためにラッピングされてるみたいで、興奮するね」

裏鞠佳ごとあたしは赤くなった。ショーツの中身をめちゃくちゃ意識してしまって、歩き方がぎこちなくなる。

や、やっぱりぜんぜんレベルが違う……。うん、そうだね……。と裏鞠佳との和解が成った。

あたしは上目遣《うわめづか》いに絢をにらみつける。

「……ヘンタイ……ドヘンタイ……」

「ふふ」

楽しそうに微笑する絢は、エスコートするみたいにあたしの手を引く。その足取りはいつもよりずっとゆっくりで、あたしを気遣ってくれていた。

くっそう、こういうとこ、ちゃんと優しいー……。

表向きは完璧《かんぺき》なカノジョに見えるくせに、なんでえっちするときはただのヘンタイになっちゃうんだ……。そんなとこでバランス取らなくていいってば……。

口数少なく、夕食の待ち合わせへと向かう。

照れ隠しに絢を罵倒したいけど、あんな痴態を見せた後でなにを言えばいいっていうの……。

後ろから絢をブン殴れば記憶を吹っ飛ばせるかな。

「ごめん、ちょっとまって鞠佳」

「えっ、な、なに？」

不穏な企みを察知されたのかと、一瞬身構える。けど、立ち止まった絢はスマホを開いて、スッスッとなにかを確認してるようだった。

「お店の場所なら、あたしが覚えてるよ？」

「ううん、だいじょうぶ。ありがと」

絢はすぐにスマホをしまった。首を傾げるあたしに向かって、顎《あご》に指を当ててつぶやく。

「きょうのかわいい鞠佳のこと、忘れないうちに日記につけておこうかなって思ってただけだから。写真も撮っておけばよかったな」

「もうぜったいに絢と勝負なんてしないからね⁉」

体を抱きながら叫ぶ。

しかし、あたしはすぐにまた絢に挑んでしまうのだろう……。だってそれが眠れるタイガー、榊原鞠佳の生き様だから……。


お昼だったらホテルのランチにしよっか、みたいな話は出てたんだけど、さすがにディナーをホテルで食べるのは、高校生にはキツいお値段だ。

というわけで、夕食は近くのイタリアン。お店の前で知沙希と悠愛と合流する。

キラキラとしたライトの使い方が素敵な店内は、お手頃《てごろ》な値段らしく、比較的若い人たちで賑わってた。ムードのあるお店じゃないけど、四人だとこういう場所のほうがいいかなって思う。基本騒がしいしね、あたしたち。

「すっっごくきれいだったよ！　あと、涼しかった！」

「なんだよその感想。でも、いい感じだったよ。わたし星とか好きなんだよねー。宇宙の神秘、みたいなさ」

知沙希と悠愛はずっと宇宙ミュージアムの話をしてる。特に知沙希が気に入ったみたいだ。

知沙希は冷めてるように見えるけど、実際はけっこう熱しやすい。ミーハーとも言う。

絢はどうだろう。スプーンを使ってフォークにパスタを巻きつけてる絢を見やる。愛の重い絢のことだ。きっと熱しにくく冷めにくいんだろう。

だったらあたしは？　うーん。なんか熱しやすく冷めにくい気がする……。それってあたしが一番チョロいってことでは。いや、悠愛もか。え？　あたし悠愛と同じ枠？

うーん、難しい顔をしながら、いくらと鮭の和風パスタを食べてると。

「で」

知沙希がちょっと様子のおかしいあたしたちに突っ込んできた。

「罰ゲームはなんだったの？」

「いや、それはちょっと機密情報で」

あたしがすかさずNGサインを出す。絢が意味深に微笑する。なにわろてんねん。

知沙希は察したみたいに「そっか」と笑った。悠愛は「おいしー！」と幸せそうに悶えていた。和《なご》む。

「てかま、きょう一日過ごしてみたけどさ」

知沙希が話を変えようとする。

あたしは、んぐ、とオレンジジュースを飲み込んだ。

そうだ、途中いろいろあったけど、ちゃんと覚えてるよ。絢がうちのグループの一員としてふさわしいかどうか。それを見極《みきわ》めるためのダブルデートだったんだもの。

知沙希の口から、きょう一日の審判が下されそうとしてる。

さすがに緊張する。子供のお受験に付き添うママみたいな気分だ。

そこで、知沙希はにへっと笑う。

「アヤ、けっこう話しやすいやつじゃん」

お、おお……。これは、合格通知……？

ハラハラするあたしとは裏腹に、絢はまるで動じず「そう？」と聞き返した。

知沙希は「もっと不思議ちゃんかと思ってたよ」って歯に衣着せぬ言い方をする。悠愛も乗ってきた。

「うん、ぜんぜんふつーだったし。むしろ新宿のバーテンダーとか、ウケるっていうか」

「ちなみにオーナーは昔レズＡＶに出てた人」

「えっ、なにそれ⁉」

知沙希と悠愛は突然の爆弾に身を乗り出して話を聞いてた。絢はいつもの調子で、可憐《かれん》さんをネタに笑いを取ってる。

テンション高い話し方じゃなかったけど、横で聞いてても十分以上に面白い。それは話術ってより、話題のチョイスがうまいんだ。

絢にとってはなんでもない仕事場の話も、あたしたちには別世界の物語だ。新宿二丁目のバーで働いてる人の話なんて、なんだって面白いに決まってる。コンテンツの引き出しが桁違《けたちが》いだった。

知沙希や悠愛は「うっそ」だとか「まじ？」だとか言いながらずっと笑ってる。

「へー、入りやすいとこなんだ」

「あたしもそう言ってたじゃんー」

「いやいや、さすがにハードル高いっての。でも、アヤがそう言ってくれるんだったら、今度一緒に行く？　ユメ」

「うん、いきたいいきたい！」

「若いお客さんが来ると可憐さんたち喜ぶから、サービスしてもらえるかもね。ただ、あんまりうるさくしたら、他のお客さんの迷惑になっちゃうからそこは気をつけてね、三峰《みつみね》さん」

「あたしを名指し⁉」

知沙希があははと笑う。早くも絢は悠愛をいじって笑いに変えてた。悠愛も「神社の狛犬《こまいぬ》より静かだし！」とすかさずボケを上塗りしてる。

時折相槌《あいづち》を打ちながらも、絢が話題を引っ張って話を回してる様子を、あたしはなんだか不思議な気持ちで眺めてた。

初めてバイトしてる絢を見たときのような気分だ。

まるで、絢があたしの手の届かないところに行っちゃったような。

いやいやおかしいよね、あたしはもともと絢をグループに入れるつもりで、ここに来たっていうのに。

でも、さんざん罰ゲームでいじくり回された身体のあたしは……なんだ、絢ひとりでもぜんぜん大丈夫なんじゃん、って思っちゃう。

そんなわけのわからないことを考えてるうちに、とっても楽しい夕食は終わった。

あたしたちは最後、みんなではしゃいでライトアップされた観覧車に乗って、めちゃくちゃ映《ば》えのする写真を撮りまくって、その日を締めくくる。

そして、帰路についた。

途中まではみんな一緒で、そこからあたしと絢が「また学校でね」と知沙希と悠愛に挨拶をして、京王線に乗り換える。

いろんなことがあって、楽しい一日だった。

「鞠佳、どうかした？」

「え？　いや、別に、ぜんぜん？」

帰りの電車は、まだ少し混んでる。あたしたちはドアの近くに並んで立ってて、絢がぼんやりとあたしの顔を覗《のぞ》き込んでた。

「あー、まあ……ただ、絢はすごいな、って思っただけ」

別に、大した話じゃないんだけど。

喉から灰色っぽい声が出てくる。

「あんなに早く知沙希や悠愛と打ち解けてさ。あたしがいろいろ心配したのなんて結局、杞憂《きゆう》だったみたいだし。絢ってなんでもそうで、やればできちゃうんだよね。絢みたいな子を、天才って言うのかなあ」

絢は首を傾げながら、あたしをじっと見つめてる。その視線を片付けてないおもちゃみたいに放置したまま、窓の外を流れてゆく夜景と、頼りなさげな自分の表情を見てた。

「でも、よかった。知沙希も悠愛も絢のこと、気に入ったみたいだし。これで修学旅行とか、学校のイベントに一緒に行けるし。絢ががんばってくれたんだよね。……ほんと、絢はすごいなあ」

「私ががんばったのは、鞠佳のためだよ」

絢の手が、あたしの手の指をちょこんと摑む。それは、まるでお母さんの手を摑む小さな女の子みたいな仕草だった。

「うん、わかってる。ありがと、絢」

「ほんとにわかってるの？」

「……うん」

わかってる。絢はすごいんだってこと。

素直に、手放しで恋人のことを誇れたらいいのに。どうだ、絢はすごいんだぞって胸を張れたらいいのに。あたしは、なんでそれだけのことができないんだろ。

きょうは絢のこと、ちゃんと支えようって意気込んできたけど、それが必要なかったんだから、いいじゃん。

絢の指に、赤い糸みたいに指を絡めて、あたしは手を繋ぎ直す。

「最初からずっと、絢は」

なんでもうまくできて、羨ましい。あたしとは違う。

そう口に出そうとしたときだった。

「みて、これ」

目の前に、スマホの画面が突き出された。

「え、なに？」

それはデフォルトで入ってるメモ帳のアプリだった。

上から下まで、みっちりと文字が打ち込まれてる。

なんだろ。

「……みて」

目で文字をなぞる。

絢の書いたメモだ。

心構え。愛想良く、ニコニコと。人の話をきちんと聞く。ＴＰＯに合わせた発言を心がける。周りの人が今なにをしたいと思っているのか、考える。

松川さんにはゲームの話、友達の話。気を遣いすぎない。へりくだったように見える態度はだめ。対等っぽさをアピール。

三峰さんには聞き役に回る。相槌のテンポが大事。集中する。積極的に話を振って、話題を途切れさせないように。苦手だから、要練習。

「これって……」

さらにスクロールすると、たくさんの一行メモが並んでた。

これ……絢が夕食のときに喋《しゃべ》った話題のリストだ。

そういえば、絢はトイレから戻るときに時々スマホを見てた。

あれって、なにを話すかを確認してたんだ。

「ね、これ、絢」

「……はずかしい。ぜったい、言わないつもりだったのに」

絢は頬を染めて、スマホを鞄にしまった。

「鞠佳が落ち込む必要なんてないよ。だって、私も……なんでも、最初からうまくなんて、できないんだから」

熱っぽい視線が、あたしをじっと見つめる。

そのとき、ようやく気づいた。

絢の視線の意味。ひりつくような感じじゃなくて、なにかを察してほしがってるような。

窓ガラスに映る自分を見て、あ、そっか、ってすぐにわかった。

だって、これ、いつものあたしの目だもん。

がんばったから、褒めて、褒めて、っていう、見慣れた仔犬みたいな目。その色が、絢の瞳にも混じってた。だから、気づかされた。

そっか、絢。

あたしのために、がんばってくれてたんだね。あたしの友達に好かれようとがんばって、いろんな話題もがんばって提供して。

絢がすごいからじゃない。朝からずっと、絢ががんばってくれたから、ぜんぶうまくいったんだ。

あたしが間違ってた。

絢は天才かもしれないけど、天才なんかじゃない。ただあたしの隣に立っても恥ずかしくないように、しっかりと努力をする、健気《けなげ》な女の子だ。

顔が熱くなる。

内側からあふれ出した想いが涙腺を刺激して、なぜだか涙がこぼれそうになる。

あたしがそうであるように、絢もあたしのためにがんばってくれてたんだってわかったから。

だから、うん。

えらいね。褒めて、あげないとね。

「絢、がんばったね」

よしよしと頭を撫でてあげると、絢は意外そうに目を瞬かせた。

「え……うん」

なんだ絢、気づいてなかったの？　自分が褒められたがってたこと。

だったらなおさら、うんと甘やかしてあげなきゃ。

顔を近づけて、小声で褒めそやす。

「いい子だね、絢。あたしのためにがんばってくれて、ありがとね」

「……ん」

絢の頭を、ぽんぽんと撫でる。腰を動かして、ちょっと恥ずかしそう。

「えらいね、絢。きれいで、かわいくて、がんばる絢、すごいね」

「…………うん」

絢は自分で自分の髪をいじったりして、所在なさげに立ってる。

そっか、そうなんだ。あたしと一緒にこれからの学園生活を過ごしたいから。あたしの好きなものを好きになりたいから。

だから、ちょっぴり無理してでも、がんばってくれたんだ。

胸の奥がきゅーっとなる。たぶん『愛おしい』って、こういう気持ち。相手のことがすごく大切で、幸せにしてあげたくて、ずっと一緒にいたくなる気持ちのこと。

ご褒美あげたいけど、電車の中だから、なにもしてあげられない。

だからせめて、その頭を撫で続けてあげた。

絢はくすぐったそうに目を細めてた。

絢のこと、好き。大好き。

うまくできたかどうかなんて、関係ない。

ただ絢があたしのために時間を割いて、万全を尽くしてくれたことが嬉しい。恋しい。

「次は、ふたりで遊びに行こ、絢」

「……ん」

「みんなで遊ぶのは楽しいし、好きだよ。どっちもあたしにとっては大切。だけど、今はまだ、絢ともうちょっと一緒に過ごしたい、かな」

「……」

なんてね、と笑ってごまかして、あたしがまたいつもの調子を取り戻そうとしたところで。

絢があたしの耳元にささやいた。

「……まだきょうは、終わってないよ」

「え?」

見つめ返すと、絢の目はやけに妖艶《ようえん》な色を帯びていて。

「ホテル、いく?」

絢の指があたしの胸と胸の間を、ツン、とつつく。

だるまさんがころんだみたいに、しばらくフリーズしてたあたしは、はたと気づく。

「………………えっ⁉」

う、電車内で大きな声を出しちゃった。恥ずかしくなって縮こまりつつ、絢の様子を窺う。

絢もちょっと顔を赤くしてた。

でもそれは、あたしが注目を集めたからってわけじゃなくて、勇気を出して誘ってくれたからだろう。

きょうは土曜日。明日は日曜日。

つまり、学校おやすみの日。バイトもなくて。

「ねえ、絢……それって」

「ん」

「……お泊り、ってこと？」

こくり、と絢がうなずく。

うわ……。今の時間からじゃ、そうなっちゃうよね。

なんか急に、全身が火照《ほて》ってきた。

ふたりでした温泉旅行は、楽しかった。ただ単純に『楽しかった』と言い切るには、ちょ、ちょっとタイム！　と言いたい気持ちはあるけど……。でも、幸せだった。

「私もね」

絢が目を伏せる。

「ふたりきりで、もうすこし、鞠佳といっしょにいたいの」

胸がキュンと鳴る。さっきまでの絢に対する劣等感は、すっかり溶けて消えちゃってた。あたしってほんと、現金なんだなあ……。

絢があたし以外の人と楽しそうにしてると寂《さび》しい。絢に優しくされると嬉しい。絢に誘われたらドキドキする。あたしの感情はもう、絢を中心に動いてる。

しかも今のあたし、がんばってくれた絢に、なんでもしてあげたい気分になっちゃってるし……。このままホテルいったら、どうなっちゃうんだろ。

「ね、どうかな」

「うん……」

顔を近づけてきた絢にあたしは……ホテル、ホテル、と頭の中で連呼する。

そのとき、まるで首を横に振るみたいに、ぷるぷるとスマホが震えた。

鞄から取り出して、見やると、あ。

「お母さんからだ。何時に帰るの、って」

タイミング悪いなあ。あたしは苦笑いする。

「ごめん、きょうは帰らなきゃ」

「そっか」

「……うん」

いきなりなんて、無理だよね。まだ高校生だもん、わかってた。

あたしは絢の胸元に寄りかかる。

ちょっとだけ電車内の人の目は気になったけど、女の子同士ってこういうとき、トクだ。……友達同士なんかじゃありえないような雰囲気、出しちゃってるかもだけど。

絢はあたしの頭を撫でてくれている。手のひら、きもちいい。

「また今度だね」

「……うん」

「鞠佳、好きだよ」

他の人に聞こえないようにささやいてくれる絢のきれいな声。その体から香る、絢の匂い。

あたしは絢に甘えたまま、「うん」と返事した。

改めて思う。やっぱり、きょうはすっごく楽しかった。ダブルデートも、罰ゲームで絢にいじわるされたのも、全部、煌《きら》めくような思い出だ。

だけど、楽しかった時間は過ぎ去ってしまう。

デートの別れは切なくて、もう二度と会えなかったらどうしよう、なんて考えちゃう。ちょっとポエミーな気分。

あーあ、なんでこんなに絢のこと好きになっちゃったんだろ。

もっともっと、駅が遠ければいいのに。あと少しで、この手を離さなきゃいけなくなっちゃう。ずっと絢に触れていたいのに。

電車が駅につく。あたしはギュッと絢の体を抱きしめる。そのぬくもりと柔らかさを最後に一度味わって、顔をあげた。

別れ際は、ぜったいに笑顔。いちばんかわいい表情じゃなきゃだめだから。

「またね、絢」

「うん、またね」

人波と一緒に電車を降りる。

窓越しに絢を見つめる。すぐにまた会えるけど、きょうの絢はきょうしか見られないんだって思うと、むしょうに悲しくなってきちゃう。でも、ちゃんと笑って見送った。

去ってゆく電車と、絢の姿。なんてことない景色なのに、そこに絢がいるってだけでトクベツなものに変わってゆく。

ホームに残されたあたしは、すぐに階段に向かうことなく、余韻を味わうようにスマホの画像フォルダを見やる。

きょうのデートでいっぱい増えたのにすぐ見終わっちゃって、画像はストックへと移ってゆく。何枚も何枚も、撮りためてある絢の画像。

一枚一枚を、あーそういえばこんなことあったなー、って思い出しながらめくる。中にはちょっとえっちなのもあって、そういうのは慌てて飛ばす。おうちでひとりで見る用だもん。

そういえば、どこかで聞いたことがある。昔の人は写真を撮る代わりに、そのときの気分を忘れたくなくて歌を詠んだんだって。絢が諳《そら》んじた百人一首の歌は、今のあたしみたいなものなのかな。

にしても、なんか笑っちゃう。なんかあたし、絢がいないと死んじゃう生き物みたいじゃない？　なんて。

「んし」

誰もいなくなったホームで自撮りして、絢に送信。

添えるメッセージは、『らぶ』の二文字。

意味なんてないけど、絢のスマホにまた一枚あたしがお邪魔させてもらえるってことが、ちょっとうれしい。

きょうのあたしのこと、大切にしてね、絢。あたしも絢ががんばってくれたきょうを、ちゃんとずっと覚えてるから。


そんなことを思って家に帰ったあたしは、鞄の奥に押し込んだ汚れた下着を発見して、そういえば……と陰鬱《いんうつ》な気分で下着を手洗いした。

これは別に、覚えなくてもいいな……って思ったけど、どうせしばらく忘れられそうにないだろう。

ああもう、絢のバカ……。

ずっと優しくてかっこよくてきれいなだけの絢だったらいいのに……って言いたいところだけど、最近のあたしはいじわるな絢も好きになってきちゃったから。

もうすっかり染められちゃってるんだよなあ……もー……。

絢が無事あたしのグループに合流し、学校生活も恋人との時間も、ぜんぶがぜんぶ順風満帆《じゅんぷうまんぱん》。とっておきのデートに挑むアイメイクのように、彩《いろど》られていって。

ダブルデートの余韻も、ようやく過ぎ去りつつあった水曜日。

しかしあたしは、バイト先で冴ちゃんからとんでもないことを告げられてしまうのだった。

バイト終わり、店長に声をかけられた。

「榊原《さかきばら》、最近がんばってるね。やるじゃん」

「え、そう見えます？」

きょうは厨房《ちゅうぼう》の人が体調不良だったみたいで、何度か取り違えのハプニングが起きて、あたしも『頼んだものと違うんだけど』というお叱《しか》りを食らってしまった。

別にホールスタッフのあたしは悪くないしー、ってふてくされることもできたんだろうけど、でもお仕事だもん、がんばらなくちゃね！　と半ばやけくそで奮起。一日をなんとか乗り切ったのだった。

今週のあたしはとにかくやる気がみなぎってた。

絢《あや》ががんばってくれたんだから、あたしも！　という感じだ。

我ながらチョロ単（チョロくて単純）すぎる。でもそれが今は、いい方向に働いてるんじゃないかな、って。

「ああ、見てるこっちまで元気になってくるよ」

実際、こうして褒められたわけだしね！

バイト先の店長は、いつも目の下にクマを作ってる、ダウナーな感じの美人さんだ。セミロングの黒髪を肩のところで切り揃《そろ》えていて、髪に隠れた耳にはこっそりといっぱいピアスをつけてたりする。

休みの日はバンド活動に勤《いそ》しんでるらしく、一緒にカラオケ行ったことあるスタッフの女の子は、そのハスキーな歌声に「いやまじすごかった！」と大興奮してた。確かに普段からかっこいいんだよね。

実際、バンドも比率でいうと女の子のファンのほうがはるかに多いらしくて、店長は女の子の扱いにかけては百戦錬磨。だからなのかなんなのか、このバイト先は女の子が働きやすくて居心地がいい場所だったりする。

とまあ、そんな店長に褒められて、あたしは思わず顔をほころばせた。いや、別に美人に褒められたから、とかではないです。がんばりが認められたのが嬉《うれ》しい！

ほら、絢が人間関係がんばってるんだから、あたしもがんばらなきゃ、って決意を新たにしたばっかりだからね。バイトにも、全力投球ですよ。

「よし、ちょっと待ってな。……ほれ、これをこうしてあげよう」

店長から渡されたそれは、Cランククルーの名札だった。おお……研修生卒業？

「時給アップですね！」

「現金なやつだな」

店長は近所のちびっこを相手にするみたいな顔で、大人っぽく笑う。

「ま、そゆことだ。面接で取ったときは、愛嬌《あいきょう》があってかわいいから、最悪仕事できなくてもいいかと思っていたが、なかなかに優秀だな。私が今まで雇った歴代バイトの中でも、三本の指に入る」

「おおっ、本当ですか？　いやあ、店長もようやくあたしの実力に気づいてくれたんですねー」

「研修生は卒業だが、あんまり調子に乗るなよ？　と、一応釘《くぎ》は刺しておくが、榊原のことだから心配はいらないだろう。これまでどおりにがんばってくれ」

「はーい！」

事務所に帰っていく店長と別れ、更衣室へ向かう。

気を引き締めようと背筋を伸ばして歩いてくけれど、思わず顔が緩《ゆる》んでしまう。

ふふ、ふふふ……。あたしは仕事のデキる女……デキる女……！

なんだ、あたしだってやればできるじゃん……。まさかガッコーの授業とは違うところで、あたしの才能が開花しちゃうなんてね！

あたし、接客の才能があるのかな。将来は百貨店の化粧品コーナーのお姉さんとか、アパレル系の名物店長とかになろうかな……。

ふふ、ふふふふふ……。ガチャとドアを開く。

「嬉しそうですね、鞠佳《まりか》ちゃん。なにかいいことあったんですか？」

「お、冴《さえ》ちゃん」

更衣室で冴ちゃんと鉢合わせした。あたしは上機嫌に細い肩を叩《たた》く。

「大丈夫だよ、冴ちゃん。冴ちゃんもがんばってるから、そのうちいいことあるって」

冴ちゃんも理不尽に怒られてるところを何度か見かけたけど、でもめげずにがんばってた。

あたしががんばれたのは、同僚の奮戦もあってのことだ。

「えー、そうですか？　きょうは忙しかったですもんねえ。早くいいことないかなあ」

「ふふふふ」

「あ、いいことって言えば、そういえば私、研修生を卒業したんですよ。時給アップです」

かわいくピースする冴ちゃんに、あたしは「うん……うん」と二度うなずく。ちなみに冴ちゃんがバイトを始めたのは、あたしの三日後だ。

……店長、ひょっとして適当言った？

「鞠佳ちゃんは、なにかいいことあったんですか？」

「あったようななかったような……」

「えー、もったいぶらないで教えてくださいよ」

ニコニコ。

「ま、まあまあ！　そんなのどうでもいいじゃん！　それよりもさ！　今度の土曜日楽しみだなー！」

シャツを脱ぎつつ、ごまかすように笑う。

いや、いいんだけどね、冴ちゃんは一個上だし……。

でも、でも……うう……。

いや、冴ちゃんがどうであれ、あたしががんばって認められたことには変わりないし！　そうだ、あたしはがんばったんだ！　前を向こう！

着替えつつ、ロッカーからスマホを出してメッセージをチェックする。

絢から連絡きてるかな。きてない。絢からの定期連絡って基本、朝と就寝前だけだからね。いつものこと、いつものこと。

「あの、鞠佳ちゃん」

「なーに？」

スマホから冴ちゃんに視線を向ける。彼女はじっとあたしを見つめてた。

それはまるで言葉のナイフを胸に突き立てられるような唐突さだった。

交通事故みたいな衝撃の瞬間は、いつだって予期せぬところからやってくるのだ。

そうして食らってからいつも思う。

なんであたし？　って。

だから冴ちゃんが口を開いたときも、申し訳ないことに——あたしはそう思ってしまった。

「鞠佳ちゃんのことが、好きです」

あたしが反応するまで、精神的には二十分かかったんだけど、実時間はせいぜい二秒ぐらいだろう。

「……え？」

えっ……えっ⁉

えええええええええええ⁉

最初に『友達として好きなのかな？』という発想にいたっていれば、もうちょっとなんとか方法があったのかもしれない。

でもあたしはすでに女同士がありえるって知っちゃってるから、それはただの告白にしか思えなかったたし、事実そのようだった。

てか、今そんな雰囲気だった？

じゃ、じゃなくて……えっ！　好き？　あたしのことが⁉

「あっ、あっ、あの……うう…………うぅ……」

冴ちゃんはカーっと顔を赤くして、うつむいてる。

あたしのリアクション待ちの状況だ。

なにも知らないふりして『あたしも好きだよー！　イエーイ！』って言うべき？　いや、でも本当に気づいてないならともかく……好きって、そういう意味の好きだよね？

待って。まず確認しよう、そうしよう。

「そ、それって……どういう……」

「あ、えと…………その……………、ひとりの、人間、として……恋愛感情を……」

狭い更衣室で、顔を赤らめた女の子がふたり。体感温度も急上昇中。背中からはよくわからない汗が流れ落ちていたりする。

マジか……こんな、冴ちゃんみたいなかわいくて、育ちのよさそうなお嬢さんが、あたしを好きになるとか……あっ、そういうこともあるんですね、的な……。

ずっと仲のいい友達だと思ってたのに……。

うーわー。そっか、友達にいきなり告白される気分って、こんな感じなんだ。なんか新鮮ー。言ってる場合か！

あたしも相当動揺してる模様。頭の中、ぐっちゃぐちゃである。

むしろ今度は、言ったほうの冴ちゃんが落ち着いてるみたいで、優しく微笑《ほほえ》んでたりする。

「……あ、えと……すみません、急に驚かせてしまって……。でも、土曜日の前に、お伝えしたほうがいいのかな、って……」

「えーっと……あたしのこと好きって……その、いつから？」

こんなときに聞く言葉がそれ？　あたしはあたしに突っ込む。でも他に思いつかなかった！

するとみ牙ちゃんは中断してた着替えを再開させながら、ぽつりと。

「最初からです。私、鞠佳ちゃん目当てでアルバイト始めたんですよ」

まじ？

「そ、そうなんだ……。えっ、じゃあ最初から？　な、なんで？」

理由を聞いたからってなんだって感じなんだけど。でも、気にはなる……！

明るいからとか、話してて楽しいからとか、いつも元気でかわいいからとか、そういうよく言われる類の褒め言葉を脳裏《のうり》で列挙してると、しかし冴ちゃんは小さく首を振った。

「なんででしょうね……。わかりません。でも、鞠佳ちゃんのこと、好きになっちゃったんです。……一目惚《ぼ》れ、かも」

そのとき、クラスメイトの白幡《しらはた》ひな乃《の》の言葉が思い出された。

『前から思ってたけど、鞠佳ってなんか、そういう人を惹《ひ》きつけるオーラ漂わせてるから』っていうの。

これがそのオーラってやつ？

えー……？　えー…………？

固まってるあたしを置き去りにして着替え終わった冴ちゃんが、ぺこりと頭を下げた。

「ごめんなさい、急に……。でも、もし鞠佳ちゃんがよかったら、私と付き合ってください。

あっ、お返事はまた今度で大丈夫ですので……。それでは、お先に失礼します！」

「あっ、ちょ」

呼び止める間もなく、去ってゆく！

えええ……？

これじゃ交通事故どころじゃなくて、ひき逃げだ。

あたしはまだ着替えてる最中で、上半身が半裸のまま伸ばした手を引き戻す。追いかけることもできやしない。

そのとき、手元のスマホがぷるっと震えた。

見やる。うぇ、絢だ。

うお……しかも『今なにかあった？』って書いてある……。エスパー？

『なんで？』と返す。『ただなんとなく、そんな予感が』だって。

あたしは顔面を手で覆《おお》った。『女友達から告白されちゃって』という文面を書いて…………消す。

なんか……冴ちゃんが絢にブン投げられてる光景がまぶたの裏に浮かんでしまった！　まさかとは思うけど！　でも、まさかだとしたら！

あたしは『あったよ、研修生卒業。やったね！』と返事する。絢からはおめでとうのへんなスタンプが来た。観葉植物くんのスタンプだ。

うう……。

あたしは大量にダンボールを載せられた台車みたいな気分で、スマホを抱いてつぶやく。

「どーしよ……」

あれだけいろんな人に言われておきながら、あたしは微塵《みじん》も考えたことがなかったのだ。

『同性の友達から告白される』ことが、あるなんて。

家に帰ったあたしは、ごはん食べたりお風呂《ふろ》入ったり明日の予習しようと思って集中できなかったりで、散々迷った挙げ句、冴ちゃんにメッセージを送れ……なかった。

『彼女がいるから、ごめん』とお断りのメッセージを送れば、今の気分は楽になるだろう。でも、冴ちゃんは面と向かって告白してくれたのに、あたしがメッセージひとつで断るなんて、なんか……ズルいかなって……。

はぁぁぁぁ、と大きなため息をつく。

よろよろと立ち上がり、テーブルの上にアロマキャンドルを並べた。

絢にプレゼントしたのと同じ種類。そのうちのひとつ、こないだ絢が香らせていたローズの四時間程度で消える小さなキャンドルに、部屋の電気を消してから火を灯《とも》す。

暗闇《くらやみ》に揺れる炎を見つめながら、息をいっぱいに吸い込む。

深呼吸。ほんのちょっと落ち着いた気がする。プラシーボでも今のあたしには重要だ。

テーブルの上には開きっぱなしの手帳がある。

そうなんだよね、あさっての金曜日、シフトかぶるんだよね……。それが終わったらすぐ土曜日のショッピングになっちゃうし。

つまり、心を決める猶予は明日だけ。

冴ちゃん、これを狙《ねら》って告白したのかなあ。

「……なんであたしなんだろ」

瞳《ひとみ》に火を映し、つぶやく。体育座りしながら、膝《ひざ》を抱く。

あたしって同性からそんなに魅力的に見えてるのかな、なんてうぬぼれたことを考える。もし絢がいなければ、冴ちゃんと付き合ってただろうか。よくわからない。

でも、絢とはなにかが違う気がする。それがなにかも、やっぱりわかんないけど。

誰《だれ》かに相談したい。別に自分がどうしようか迷っているとかじゃなくて、胸の内をただ聞いてほしい。

……けど、こんなこと、誰にも話せないよね……。

翌日の学校で、あたしは一日ボーッとして過ごした。知沙希《ちさき》や悠愛《ゆめ》はおろか、もちろん絢にだって言い出せないし……。

……よし、こうなったら。

その日の学校帰り、あたしは『Plante à feuillage』のドアを叩いた。もちろん、セーラー服じゃない。ちゃんと用意してた私服に着替えてから、だ。

＊＊＊

「こんにちはー……」

十月もまだ上旬。日も落ちていない夕方に、あたしはおっかなびっくりと顔を出す。

こういうバーってだいたい夜からしかやってないイメージあるけど、中にはちゃんと可憐《かれん》さんがいてくれた。ほっ。

もともとそういう風に作られたアンドロイドみたいなメイクばっちりの笑顔で、可憐さんが迎えてくれる。おそるおそるカウンターのいつもの席へと向かう。

「あら、鞠佳ちゃん。きょうはアヤちゃんバイト休みよ?」

「わかっててきたんです。どーしても可憐さんに話を聞いてもらいたくて」

「あら、嬉しい言葉ね。ベッドの上じゃなくて平気?」

「ぜひここで！」

可憐さんが笑う。可憐さんのセクハラっぽい発言は、きっとあたしの気持ちを明るくするために言ってくれてるんだろうなってわかるから、なんだかイヤじゃない。

「いいわ。アヤちゃんにもナイショの話なんでしょ。きょうはお店もそんなに混まないと思うから、聞かせてほしいな。もし激混みになったとしても、なんとかするわ。かわいい鞠佳ちゃんの頼みだもの」

「ありがとうございます……。あの、笑わないで聞いてもらえます？」

「もちろん」

さすがに恥ずかしくて、さらに声を潜める。

「あたしって……可憐さんから見ても、その、かわいいですか？」

可憐さんは笑うというよりも、驚いたみたいだった。

でもすぐに、優しい微笑みを浮かべた。

「そうね、あたしからしたらキミは、まぶしすぎて、ちょっと手を出しづらいけどね。とってもかわいいよ。同じクラスにいたら好きになっちゃいそう」

好きに……。そのワードに、あたしは引っかかりを覚えてしまう。

「……なんでなんでしょう」

「んー。同性に好かれる子っていうのはね、ようするにね」

可憐さんがテレビショッピングの司会者みたいに朗らかな笑みを浮かべながら、三本の指を立てる。

「親切で、誠実で、裏表がない子よ。ポジティブで、一緒にいて楽しくなれる子だったり。気遣いができて、聞き上手だったりね。オトナになると、もうちょっと違う要素が加わってくるけど、それは置いといてね。鞠佳ちゃんは話しやすさと憧《あこが》れのバランスがいいの」

可憐さんが苦笑い。

「……と、こんな解答では満足できないって顔ね」

さすが女性の心（と性）に寄り添う可憐さん。あたしのモヤモヤもばっちり見抜いてる。

さっき言ってくれた言葉は、どれもぜんぜん自分に当てはまらない気がしてしまうのだ。

「あたし、ちゃんと裏表ありますよ。そんなに親切じゃないですし、仲良くできないかもって子も、ちゃんといますし……」

「なるほど、きょうはそういうモードなわけね。アヤちゃんに会いたくないわけだ」

苦笑いをする可憐さん。

うう、自分がめんどくさいモードに突入してることが、よくわかる……。

「なんかあたし、定期的にこんなんなっちゃいますね⁉」

「女だもの仕方ないよね。大丈夫よ、お姉さんは女の業を愛してるから」

「可憐さんは大好物かもしれませんけど、あたしはあたしがいやなんですってば！」

「あら、言うようになったねえ。いいよ、ぜんぶ吐き出して。ここはそのためのお店だから」

可憐さんは頬《ほお》に手を当ててしみじみ微笑む。あたしの欲望を吸って生きる魔女のように、心なしかお肌がツルツルになっていってる気がする……。

このままじゃ明日のバイトの時間までうじうじしちゃいそうなので、気分を変えるために可憐さんオススメのノンアルコールカクテルを注文する。

そのタイミングで、さっくりと本題に入ることにした。

「実は……あたし、バイト先で女友達にコクられちゃって」

「あらまあ」

シェイカーからグラスに液体を移した可憐さん。きょうは無色透明のカクテルを作ってくれた。小柄なのに、あたしより長い指がグラスを差し出してくる。

飲むと、スパイスの効いた甘いジンジャエールみたいな口当たり。優しく刺激的な味だ。

「元気が出るように、ってね」

「おいしいです」

「よかった。それで、その子のこと、どう思っているの？」

これはきっぱりと言い切れる。

「仲のいいお友達です。いい子だし、かわいいと思うけど、あたしには絢がいますから」

冴ちゃんには悪いけど、あたしは今のところ絢のカノジョをやめるつもりは一切《いっさい》ない。

どこからか現れた青い髪のギャルが『ま、この先、一途なキャラでいくか、とっかえひっかえできる遊び人のネコでいくかは、鞠佳次第』と、知ったような口を叩く幻影が見えた気がした。預言者か？　あたしは未来永劫《みらいえいごう》に一途だよ。

あ、そういえば。

「写真ありますけど、可憐さん見ます?」

「見る見るー」

以前その人の手を見るだけでタチネコ歴を言い当てられるとか言ってたのを思い出した。可憐さんなら写真からでも冴ちゃんの人となりを読み取れるかもしれない。スマホを手渡す。

「どれどれー?」

あたしと冴ちゃんが並んでピースしてる写真を見て、可憐さんはじゅるりとよだれを拭《ぬぐ》った。

待って。

「フラれたかわいそうな女子高生を慰めてあげるのも、二丁目に店を構えるオーナーの使命かもしれないわね……」

「だ、だめですよ、冴ちゃん純情なんだから」

この人はもう本当! どうしようもない大人だ!

あたしが目を尖《とが》らせると、しかし可憐さんは「あら?」と軽く眉《まゆ》をあげた。

「そう? 純情? この子」

「え?」

「ううん、なんでもないの。やあねえ、ごめんね、邪推しちゃって」

「えっ、なんですか⁉ 気になるんですけど! 言ってくださいよ!」

「んー、大したことじゃないんだけどね、鞠佳ちゃん」

「はい」

ただ写真を見ただけの可憐さんにどこまで期待してるんだって話だけど……。あたしは返してもらったスマホを胸に抱きながら、可憐さんを見つめる。

可憐さんは、ふぅ、と息をついた。え、そんなため息をつくぐらい、冴ちゃんになにか問題が……？

「はあ、だめよ鞠佳ちゃん。そんなに熱っぽい視線を向けられると、濡《ぬ》れちゃいそう」

「きょうおふざけ多くないですか⁉　他にお客さんが来るまでの暇つぶしか⁉」

「暇つぶしだなんてとんでもない。本気だよ」

「なおさら駄目でしょー⁉」

こういうところ、ほんと絢のバイト先のオーナーって感じがする。似てる……。

小さな声で可憐さんが「なるほど、これが鞠佳ちゃんの魔性のネコ性……。今後の成長が楽しみね……」とつぶやいてる。バトル漫画の師匠キャラかなにか？

「まあ、それはいいとしてね」

「……はい」

今度は可憐さんを見ないようにしてうなずく。超失礼な態度である。

「冴ちゃんね、どうやら少し前にひどい失恋をしちゃったみたい。ずいぶんと心が傷ついているようよ」

「そ、そうなんですか⁉」

「ええ」

まるで新宿二丁目の母みたいに、可憐さんはしっとりと語る。

「それで、今はちょっと拗《こじ》らせているのかもね。どこか、健康的じゃない感じがして、気になっちゃうな。うん、でも……だからこそ、鞠佳ちゃんに光を見出したのかな」

「あたしに……」

そっか、失恋……そっか。高校三年生で急にアルバイトを始めたのも、なんか気分転換のつもりだったりしたのかなあ……。

なんかそれを聞くと、胸がどよーんと重たくなってきた。

「あら、ごめんね。余計なことを言っちゃったかな」

「いえ、可憐さんのせいじゃ」

小さく首を振る。むしろ話を聞いてもらってるのに、落ち込んでばっかりで申し訳ない気持ちだ。あたしってもしかして、人から相談を受けるのは慣れてるのに、人に相談するのド下手なのでは……。

こないだのこともあって、ついつい、考えちゃう。もし絢だったらこんなときどうするんだろう、って。

「そうよねえ、鞠佳ちゃんはいい子だものねえ。アヤちゃんだったらきっとその場でズバッと切り捨てちゃうね」

ちょうど絢のことを考えてたから、思わず笑ってしまった。

「ああ、言いそう。『ムリ』とか」

「言いそう言いそう」

笑い合う。でも吸い込んだ息はため息に変わった。

だって、あたしは絢じゃないから。

ちゃんと割り切ったつもりだったんだけどなあ！

「実はついこないだも思ったばっかりなんですけど……絢って、なんであんなにまっすぐ努力できるんですかね……。メンタルもめちゃくちゃ強いし……。はぁ、なんかヘコんできたなあ～～～～！　可憐さん、強いお酒ください！」

「どこかで聞いた言葉ねえ。それはダメだから、代わりに抱いてあげる？」

「いえ……そっちは間に合ってますんで」

笑われてしまった。

あれ、これもしかしてのろけ？　急に恥ずかしい。

「でもね、アヤちゃんだって最初からああだったわけじゃないんだよ。今でこそ、なにがあっても驚きませんって顔してるけど、昔はいっぱい失敗してたんだから」

「えっ、それ聞きたいです！」

もちろん話せる範囲でいいので！　とせっつく。

可憐さんはちょっと悩んでから、テストの点数をオマケしてくれるみたいに「少しだけね」と話してくれた。

「初めてアヤちゃんがうちの店に来たのは、中学三年生の頃だったの。知り合いに連れられてね。ずいぶんと幼くて、大丈夫かなこの子、って思っちゃった」

「え……」

のっけから、意外な話だ。

あたしが昔見た高校一年生の絢はもう、しっかりとした大人だった。

「行くところがなさそうな顔をしてたから、とりあえず話を聞いてね。これがずいぶんと生きづらそうな子で、放っておけなかったな。話しているうちに、『ここで働かせてください』なんて言われちゃって。迷ったわ。さすがに若すぎるもの」

可憐さんはグラスを磨きながら反射する光を見つめてた。

「だからね、高校生になってもまだ心がチクチクしてたら、またおいで、って、そう言ってその日は帰したわ。たびたびお客さんとして来てくれて、高校生になっても決心が変わっていなかったみたいだから、約束通り雇ったんだけど……そこからはトラブル続き」

思い出しながら話す可憐さんは、どこか複雑そうで。出来の悪い肉親を人に紹介するお姉ちゃんみたいだった。

「なんせ、一度も働いたことのない高校一年生が、夜のお店でアルバイトでしょ？　接客だって、最初は地雷踏みまくり。うちのお客さんは顔のいい若い子に甘いから大事にはならなかったけど、けっこうヒヤッとさせられたわ」

「ぜんぜん想像できない……」

「とにかく客あしらいが下手だったのよね。腰をポンポンとしてきたお客さんの手を捻《ひね》り上げて、セクハラで訴えますよ、とか言い出したときには、もうどうしようかと……。場所によっては正しい行為なんでしょうけど、もうちょっと穏便に対応してほしかったわ」

ひえ、やりそう……。

「うちに来てくれるレズビアンのお客さんは、お店の外では、やっぱりなにかと戦っていたり、仮面をかぶっていたりして過ごしていてね。あたしはそういう人が安心して、肩の力を抜いて、自分の時間を楽しめるお店を作りたくてやっているんだもの。だからね、これからもうちで働きたかったらって、アヤちゃんにはひとつ課題を出してね」

教育実習の先生みたいに、可憐さんは人差し指を立てた。

「アヤちゃんからお客さんに毎日、自己紹介をさせることにしたの。その日来たお客さん全員にね。一日三十回以上、自己紹介することもあったわ」

「自己紹介、ですか？　どうして、そんなことを？」

可憐さんにようやく笑みが戻ってきた。

「あたしね、アヤちゃんが急にお客さんに愛想がよくなったりは、できないって思ったの。あの子、不器用だから。だから、お客さんにアヤちゃんを理解してもらえるようにしたんだ。ここに来る人たちはみんな、なにかしら思うようにいかないことを経験した人が多いから。みんなに、アヤちゃんを見守ってくれるお姉さんになってもらおうって思って」

すっと背を伸ばし、可憐さんは絢の口調を真似《まね》る。

『アヤです。高校一年生です。昨日学校では移動教室があって、どこにいくかわからなくてしばらく校内を歩いていました。まだ接客は緊張していますが、よろしくお願いします』って。短いけど、毎日違う自己紹介をね。そうしたらすぐにみんな、アヤちゃんに優しくしてくれちゃって。まったく、ほんと若い子に甘すぎるんだから。美人ってトクよねえ」

そうですね、ってあたしもつられて笑う。

「でもね、不器用だけど一生懸命コツコツやってるな、ってお客さんもアヤちゃんのことをわかってくれてきたのよね。グラス磨きもお願いすると、止めるまでずっとグラス磨きしてたり。話しかけても聞こえなくなっちゃうのは困りものだけど、すごい集中力で延々とね。自分が不器用なこと、わかってるんじゃないかな。一歩一歩進んでゆくのよ、アヤちゃんって」

可憐さんが頰に手を当てて、懐かしむように微笑む。

……確かにあのしつこさは、そうなのかもしれない。蛇みたいに執着してくるもんね。

「ひとつのことをちゃんとできるようになってから、さらに次へ。そんなことを繰り返しているとね、やっぱりアヤちゃんにも余裕が出てきて、お客さんへも優しくできるようになっていったの。ずっとアヤちゃんのがんばりを見守ってきたお客さんはもちろん嬉しいし、我が子のように喜ぶ人だっていたわ。アヤちゃんが困ったときには絶対に力になってあげるんだってお客さん、お医者さんから弁護士から探偵から芸能人から、なんだっているのよ」

すごい、絢すごい。

まるで自分のことみたいに嬉しくなってくる。感動しちゃう。

あ、そっか、学校で毎朝みんなに挨拶《あいさつ》していたのも、そのときのことからなんだ。まずは自分のことを知ってもらうために、って。

あたしのアドバイスなんて、ほんとにいらなかったんだな。

「いつの間にかアヤちゃんは、うちの店でできないことはなくなったわ。さすがにシェイカー振るのは、まだまだあたしのほうがうまいけど、いつか抜かされちゃうかもね。そしたらお店のことは全部アヤちゃんに任せて、あたしはずっとお客さんとおしゃべりしちゃおっかな」

可憐さんの口から語られる絢の造形が、やがて今の絢に結びついてくる。

無表情で、もう一回、もう一回、とめげずにチャレンジを繰り返す絢を思い浮かべる。それはきっと、あたしの知ってる絢の姿だった。

「……絢って、どうしてそんなにがんばれるんでしょうか」

結局はそこだった。

どうしてあんな風に、本気になれるんだろう。

『がんばれる力も才能』って言葉があるけど、あたしはその言葉があんまり好きじゃない。だってがんばれない自分を正当化しちゃうみたいだから。

可憐さんはあたしの空になったグラスを下げて、二杯目を出してくれた。今度は、レモンの浮かんだ桃色のピーチカクテル。

「そうねえ……。がんばれなくて、悔しい思いをしたことがあるから、じゃないかしら。例えば、大切ななにかを手のひらからこぼれ落としちゃった、とか」

「それって……？」

「さあね。でも、鞠佳ちゃんには心当たりがあるんじゃない？」

ウィンクとともに送られたヒントに、頭を巡らせる。

この問題はあたしなら絶対に解けるはず。だって、絢のことなんだもの。

ああ、と心当たりはすぐに浮かんできた。

それってもしかして、絢がハブにされたきっかけの事件のことかな。テニス部の先輩にハサミ突きつけられたっていう。

先輩を返《かえ》り討《う》ちにしたこと自体は絢の自己防衛だ。けど、その後にああすればよかったとか、こうすればクラスから浮くことはなかったとか、いろいろ考えてたのかな。

絢なら、中学でも素敵な友達がたくさんいただろう。なのに、今でも連絡を取り合ってる子はいないみたいだし……やっぱり傷ついていたんだと思う。

他の人を避けて、一年間もひとりぼっちになって。

「それで、絢は……」

もうなにも後悔しないように。

いろんなことを、ちゃんとがんばるように決めたのかな。

そういえば、あたしを百万円で買うとか言い出したときも、すごい急だったよね。あれもきっと、そういうことなんだろうな。

たったの一瞬でなにもかもが壊れちゃうことを知ってたから、だから、勇気を出してくれたんだ。

考えてみれば、今回の知沙希と悠愛とのダブルデートだって、絢の気合いの入り方はすごかった。失敗したって、また次があるじゃん、みたいな態度じゃぜんぜんなかった。後悔しないように、とびきり全力だった。

ようやく、ようやくわかった。絢の決意、そして奮闘。

リアル脱出ゲームの最後の大謎《おおなぞ》が解けたみたいに、視界がぱぁっと開けた。

絢のたどってきた軌跡は――今もたどっているその軌跡は、どこにも奇跡なんてない、ただの女の子が一歩一歩歩んできた長い道のりだった。

そう思うと、今の絢が、無性に尊い女の子に思えてくる。

あたしの大好きな絢は、絢がんばって作り上げた努力の産物なんだ。

「確かに今思えば、なんでも完璧《かんぺき》にできる人が、可憐さんとアスタに誘われたからって、3Pしたりしないですよね」

「ほんとにね。あの子ってそういうところあるのよね」

笑いあったそのあとで、可憐さんは優しい目をした。

「こういう言い方をすると、ちょっぴり重いかもしれないけれど、アヤちゃんが今いちばん後悔したくないのは、鞠佳ちゃんのことだと思うの」

「あたしの……」

「ええ、わかるでしょう?」

思い上がってるとかじゃなくて、あたしはしっかりとうなずいた。

「はい、ちゃんと伝わってます」

絢ががんばってくれてるのは、あたしのためだ。絢があたしにそう言ってくれた。ここで謙遜《けんそん》なんかしたら、絢のことをちゃんと見てないってことになっちゃうから。

ダブルデートだって、それ以外のことだってぜんぶ、ぜんぶ。

「でも、重いなんて思いませんよ。だって、それを言うならあたしも一緒です。あたしだって絢のためにいっぱいがんばってますもん！」

そんなにも絢に好かれてることを、誇りに思ってる暇なんてない。もっともっと絢を夢中にさせるために、あたしだってがんばらなきゃ。

立ち止まってる暇なんて、ない。

思い悩んでる暇なんて、いらない。

「冴ちゃんのこと、最初はどうやってうまく断ろうかなって思ってたんですけど……可憐さんに話を聞いてもらって、なんだかわかった気がします。とりあえず、自分がいいと思うやり方で、やってみますね！」

冴ちゃんを傷つけないように。なによりあたしが傷つかないように、器用に……なんて考えてたら、一生絢には追いつけないような気がしたから。だから。

あたしは立ち上がった。

スマホを見ると、まだ午後六時。今からでもきっと間に合う。明日のシフトなんて待ってないで、今から冴ちゃんと会おう。

そうして言うんだ。冴ちゃんとは付き合えない、って。

だってあたしには、大好きな人がいるから。

「鞠佳ちゃんのそういう一直線なところ、好きよ。これは店員とお客さんとかじゃなくて、ほんとに好き。だから応援してるわ。またなにかあったらお店にいらっしゃい。そのためにお店があって、あたしがいるんだから。きょうは頼ってくれて、本当にありがとうね。とっても光栄だったわ」

「こちらこそ、ありがとうございます！」

お会計をして、あたしはお店を出た。

うちのファミレスの店長もいい人だけど、絢のお店のオーナーさんも最高のお姉さんだ。この人になら、一度ぐらいは抱かれてもいいかな、なんて思っちゃう。

もちろん、浮気《うわき》なんて絶対にしないけど。

だってあたしは、絢のものなんだから。


冴ちゃん、待っててね。

あたし、ごまかさずに、ちゃんと正面からぶつかるからね！

＊＊＊

連絡をすると、冴ちゃんはファミレスまで出てきてくれた。さすがに中で話すようなことじゃないので、近くの公園へと向かう。

私服の冴ちゃんは赤いブラウスに、きょうは珍しくパンツスタイル。鞄《かばん》にあの観葉植物くんのストラップを下げてる。

普段ならそのことで世間話のひとつもするんだけど、気合を入れたとはいえさすがにあたしも緊張してるので……。

「……」

「……」

あたしたちは、無言で夜の公園に到着した。

街灯の下、立って向かい合う。これから決闘でも始まるみたいな雰囲気だけど、気分としては間違ってないのかもしれない。

ちゃんと断らなきゃいけないんだから。これはあたしにとっても決戦だ。

十月の夜風はちょっと冷たくて、マフラーがほしくなってくる。まるで武者震いするみたいに、ぶるっと震えた。

「……鞠佳ちゃん」

「うん」

バイト外で会うのは、これが初めてだ。こんな形になっちゃうなんて、思ってもみなかったけど。

冴ちゃんはあたしの表情からなにかを察してるんだろうか。まあ、そりゃ、告白を受け入れる方がこんな険しい顔なんて、するはずないもんね。

深呼吸。よし。

「突然呼び出してごめん」

「ううん」

「あのね、冴ちゃん」

「……はい」

長引かせても、しんどい空気が両肩にのしかかってくるだけだ。

体中に満ちてたはずのやる気も、肌寒い外気に温度を奪われたような気がする。くっ……つらい……。

間を繋《つな》ぐための軽口は無限に思い浮かべられるのに、肝心な一言が言い出せない。

ああもう、冴ちゃんの前に来てまでうじうじするなんて、なし、ナシナシ！　ありえない！

ここは一発、砲丸投げみたいに根性を入れて……。

よし言うぞ、言うぞ言うぞ。

「ごめん！」

両手を合わせて、叫ぶ。

「あたし、付き合ってる人いるんだ！」

言った！

言いました！

しばらく固く目をつむる。

冴ちゃんはこくりとうなずいた。

「そうですよね」

……………あれ？

あたしの予想では黙り込むか、あるいは息を呑《の》んで涙をにじませるか、そんな感じだったんだけど……。

なんか、冴ちゃんの反応はぜんぜん違った。

どことなく、あたしを見てないんじゃないかって顔で、ぼんやりしてる。バイトのときのハツラツとした笑顔はどこへやら。まるで幽霊みたいだ。

街頭の薄明かりの下だから、そんな風に見えるのかもしれないけど。

その唇がほとんど動かず、言葉を発する。

「実は、知ってました」

な、なんと。

だから動揺してないのか。

「え、なんで……？」

「……」

冴ちゃんはなにも言わない。なんで！

そんな話、一度もしてないのに。逆にあたしが動揺しちゃう。

「あ、でも！」

バカ正直に言う必要なんてないんだろうけど、あたしはもう一度両手を合わせた。

「あたしの付き合ってる人って……女の子なの！」

冴ちゃんがこれからの人生で『女同士だから受け入れられてもらえなかったんだ』って思わないように。

……なんて、大それたことを考えてたわけじゃないけど。

それでも一応、付け加えると。

「あ、はい」

って、それも知ってたんかい！

冴ちゃんはサラサラと砂を流すみたいに言う。感情の見えない声だった。

「たまに遊びに来る、あのきれいな女の人ですよね。そう、午後小町さん。付き合ってるんだろうな、って思っていました」

「え、ちょ、ちょっと待って」

あたしは両手を前に突き出して待ったをかけた。

「そこまで知ってて、あたしに付き合ってって告白してきたの？」

「はい」

冴ちゃんは変わらず微笑んでる。

さすがに、これなんかおかしくない？　って思った。

空気読めることに定評のあるあたしだけど、冴ちゃんの意図がぜんぜんわかんない。

冴ちゃんは、まるで顔が塗りつぶされてるみたいな笑顔をしてた。

「私と付き合いませんか？　鞠佳ちゃん」

どうしよう、だんだん怖くなってきた。

あたしは、冴ちゃんのこと、なんにも知らない。一個年上で、近くの高校に通う清楚《せいそ》黒髪な女の子。でも、それだけだ。

基本、人とは浅く広く、付き合う。その場だけ楽しければいい。それがあたしのスタイルだった。だから、今まで冴ちゃんのことを詳しく知ろうなんて思わなかったんだ。

「いや、だから、付き合ってる人が……いて……」

冴ちゃんがちょっとずつ近づいてくる。

半歩後ずさる。

でも、あっという間に距離を詰められる。

「優しくしますよ、鞠佳ちゃん」

「いや、確かに冴ちゃんはいい子だと思うけど、あの」

ずい、と冴ちゃんが目の前にやってきた。

彼女はまるで小悪魔のような薄い微笑みを浮かべながら、ぺろりと唇を舐《な》める。

「……しっかり見ましたよね？　私のほうが、おっぱい、大きいですよね？」

「ひえ」

「また、触って……確かめて、みますか？」

手を掴《つか》まれて、それを胸に当てられた。

ふにょんって！　柔らかな感触が！

そこまでされて、あたしはようやく理解した。

——これって、略奪愛だ！

でもそういうのって、もっとうまくやるもんなんじゃないの⁉　こんな真正面から来る⁉

しかも体であたしを落とそうって言うわけ⁉

可憐さんが言ってた、冴ちゃんが純情には見えないってやつ、これのことだったのかあ！

あたしの手をおっぱいに当てさせたまま、冴ちゃんは耳元に顔を近づけてきた。

ふぅ、と熱い息を吹きかけられる。ハレンチですよお！

「私のほうが、いっぱい鞠佳ちゃんに尽くしてあげますよ……。なんだって、してあげますよ。鞠佳ちゃんがしてほしいこと、なんだって……。いっぱい甘やかしてあげますし、それ以上のことだって……」

はわわわ……。

なに、なんなのこれ……なんで夜の公園で、胸をまさぐらさせられてるの……。

「い、いや別に、あたしは」

逃げようとするも、腕を摑まれてしまってる。こわいよー！

「ねえ、ダメですか？　私にしましょうよ。なんだったら、二番目でもいいんですよ。鞠佳ちゃんのお好きなときに、お好きなように相手をしてもらえれば……」

「いやいやいやいやいや、あたしそんなに器用な性格じゃないし！」

「こんなに言っているのに、ダメなんですか……？」

じわっと冴ちゃんの目に涙が浮かぶ。

もう、なんなんだこの子……。そんなにあたしのことが好きなのか……？

あたしってなに、そんなに女の子を惑わす色香とか漂わせてるの？　アロマか、アロマのせいなのか。

パニクりまくったあたしは思わず――叫ぶ。

「だめだってば、冴ちゃん！　こんなんで、失恋を乗り越えようだなんて！」

「…………え？」

冴ちゃんの手が、ぴたりと止まった。

とっさに口をついて出たのは、可憐さんのプロファイリングから導き出された、冴ちゃんの悩み、苦しみ、トラウマ。そういったやつ。

「失恋、って……」

「だからあたしを選んだんでしょ!?　でも、こんな無理矢理、間違ってるってば!」

「………鞠佳ちゃん」

それはただの推測だったはずなんだけど……実際、冴ちゃんは目を伏せて動揺してるみたいだった。

ああやっぱり、可憐さんは正しかったんだ。

冴ちゃんは傷ついて、それを忘れようと、焦《あせ》ってあたしのことを……。

だったら、と言葉に強く力を込める。

「冴ちゃんは、ほんとの好きな人と一緒にいられなくて……だから、あたしなんでしょ?　でも、こんな強引《ごういん》な方法、よくないよ……。これじゃあ、冴ちゃんがもっともっと傷ついちゃうよ!」

「……っ」

そこで初めて、冴ちゃんの目に悲しみの色が浮かびあがった。

「ね、あたしは冴ちゃんとは付き合えないよ。でも、話聞くからさ。……あたしじゃ力及《およ》ばないかもしれないけど」

可憐さんみたいにはうまくできないかもしれないけど。

だけど今、冴ちゃんの力になれるのは、あたしなんだから。

冴ちゃんに訴える。

「ねえ、冴ちゃん！　あたしたち……友達でしょ？」

「………」

大きくため息をつく冴ちゃんは、一回り小さく見えてしまった。

「昔の、話です」

「……うん」

黒い長髪が風に揺れて、カーテンのように冴ちゃんの目元を隠す。

「あいつは、本当に身勝手で、あいつばっかりみんなに好かれて、みんなに愛されて……なのに、私にはぜんぜん振り向いてくれなくて……」

そのつぶやきは、まるで呪詛《じゅそ》のようで。

「私だって、がんばってるのに……誰も、私のことを見てくれなくて、あいつは……」

チクリと胸が痛む。

「冴ちゃん……」

顔を覗《のぞ》き込もうとした、そのときだった。

がばっと顔をあげた冴ちゃんの目は、ギラギラに輝いてた。

えっ⁉

「あいつばっかり！　ほしいものを全部もってく！　あの女が！　そんなにあの女がいいんですか、みんなは！」

両肩を掴まれる。強い！　痛いです！

「ねえ、私と付き合ってくださいよ、鞠佳ちゃん！　あいつから、今度こそ恋人を寝取ってやるんですよ！　ね、私に抱かれてくださいよ！　むしろ私が抱かれてもいいですから！　ご希望のプレイはなんだってしてあげますよ！　口には出せないようなことだって！　あいつを見返すためなら、なんだって！」

「ちょ、ちょちょちょ、タイム！　タイムタイムタイム！」

あいつから『今度こそ恋人を寝取ってやる』って。

え？　まさか。

あたしの今の恋人は絢だ。そんなはずないと思いながらも、あたしは叫ぶ。

「さ、冴ちゃん、絢のこと知ってるの⁉」

「絢……………あや………………」

冴ちゃんの雰囲気が一変する。まるで地の底から轟《とどろ》くような声だった。

「ふ、ふふふふふふ……へへへへ……！」

なんでそこで笑う……？　こっわぁ……。

「もちろんですよ、不破《ふわ》のことは、忘れたことなんて一度もありません……。私の、私のすべてをめちゃくちゃにした女……不破絢！」

冴ちゃんは鬼みたいな顔で、口元だけで笑みを作ってた。

「失恋⁉　いったいなにを言ってるんですか、鞠佳ちゃん！　これは恨みですよ！　恋だなんてそんな、おぞましい！」

包丁の背で何度も何度も肉を叩くみたいに、どしんどしんと恨み言を叫ぶ。

「私はあいつのせいで内申点も悪くなって、高校受験も失敗して、友達もいなくなって、パパもママも妹ばっかりかわいがるようになって、人生のレールから転落したんですよ！」

あまりにも強い執着は、恋と似てる。そういう話を聞いたことがある。

「初めての彼氏だったんですよ！　なんかあの人、私のことが好きらしいって聞いて、それから意識し始めちゃって。付き合ったのは流されてだったんですけど、でもお昼にお弁当作ったりして、淡い初恋を楽しんでいたのに……あの仕打ちですよ！　不破が、ぜんぶ不破が！　私の好きだった人をたぶらかしたせいでー！」

その叫びは決定的なヒントだった。

これが謎解きだったら、あたしはもう二度と謎解きなんてごめんだけど……ともあれ、あたしは思い当たってしまった。

も、もしかして……。

「あなた、絢の……テニス部の、元先輩？」

「！」

冴ちゃんの目が、大当たりを引き当てたスロットマシンみたいにビカッと光った。ひええ。

「あいつ、私のことなにか言ってました⁉　そうでしょう、そうでしょう！　私があいつのせいで人生めちゃくちゃになったみたいに、あいつだって私のせいで破滅したんですからね！　私たちは、一枚のコインの裏と表なんですから！　なにか言ってたでしょ！　ねえ、なんて言ってたの⁉　憎いって⁉　許せないって言ってました⁉　一生あいつを忘れないように写真の切り抜きを壁に張って寝る前には必ず毎日毎日バーカバーカって言ってやりますって⁉」

口を挟めば、その途端に殺されそうな勢いだった。

え、えと………。

目をそらしながら、あたしはめちゃくちゃ言いづらそうに口を開いた。

「絢の口からは、特になにも……」

冴ちゃんは呆然《ぼうぜん》と目を見開いた。

「え…………？」

両肩から手を離した冴ちゃんは、まるで糸が切れたみたいにその場に崩れ落ちた。

絢のテニス部の元先輩の話は、ぜんぶ知沙希から聞いたことだった。ハサミを持ち出してきた先輩がクラスに乗り込んできたせいで、絢はずっとハブられることになった、って。

絢の口からは一言も聞いていない。せいぜい『よく知ってた人』ぐらいなものだ。絢はとっくにあの事件のことを乗り越えて、今は楽しく過ごしてる。

だから元気だして……って。

そんなこと言えるわけないでしょーが！

がんばれ鞠佳！　このピンチを切り抜けるために、なんか気休めを！

「いや、でもさ、あの……。ほら、その元カレ？　冴ちゃんみたいな子と付き合ってたのに、他に目移りするとか、あたしはどうかと思うかなー……」

「……鞠佳ちゃん」

「ね、ね、だってそれ浮気でしょ？　冴ちゃんのことなんにもわかってなかったんだよ！　冴ちゃん、こんなに美人なのに！　男ってやつはこれだから仕方ないよねー！」

隙《すき》を見つけて、そこに付け込む。

しかし冴ちゃんは夜闇《よるやみ》を切り裂くように一閃《いっせん》。

「──あんな男のことなんて、もうどうだっていいんですよ！」

ええー!?　そもそもの原因、どっかいっちゃった!?

「だって、私はこれからどんなに一生懸命、人生を生きても、同じ時代に不破が生きている時点で、脅かされながら過ごさないといけないんですよ！　ただ生きてるだけのあいつに！　あいつがいるから、認めてもらえないんです！」

うぐ。

最近ずっと、絢と自分を比べてたあたしには、その言葉はけっこう刺さった。

なにをやってもかなわないどころか、初めてできた彼氏まで絢のことを好きになってしまって……それは確かに、拗らせてしまいそうな気持ちもわかる。

絢はただ、まっすぐにがんばって生きてるだけだ。ちゃんと幸せになるために、前を向いて歩いてるだけ、なんだけど。

その輝きは――凡人にとっては――あまりにも眩《まぶ》しすぎるのだ。

「ほ、ほら、昔のことなんだし……。いつまでもこだわってたって、いいことないし……。水に流して、生きていったらいいんじゃないかな……？　ね」

だから、あたしの説得の言葉は、あまりにも空虚だったから。

そんなの、冴ちゃんには届かないのだ。

「……許せない……」

って、めっちゃ不穏なつぶやきが聞こえてきたし……。

「私はあいつのことを一秒だって忘れたことないのに、あいつだけ鞠佳ちゃんみたいなかわいい彼女を作って、幸せなリア充《じゅう》人生送ってるとか……そんなの、そんなのダメでしょ……だってそんなの、不公平じゃないですかぁ……うううううううう……」

冴ちゃんが鞄から取り出したもの。

それは、街灯の輝きを浴びて照り返す刃物……ハサミだった。

絢の輝きに対抗するための光り物、的なやつ……⁉

いや、ていうかなんでそれこっちに向けてくるの⁉

「待って！　待って待って！　あたし関係ないじゃん！」

バッグを盾にして、後退《あとずさ》りしながら距離を取る。

「ふふ、ふふふふふ……。不破、不破め……。許せない、許せなぁい……」

冴ちゃん、っていうか冴はハサミを握りしめたまま立ち上がって、ゆらゆらとゾンビみたいにあたしに迫ってくる。

これ絶対、中学のときに起きた事件とまったく同じパターンだ！

こわすぎる。足がガクガク震えて、逃げられない。

ああっ、なんでこんなときにビビりが顔を出しちゃうの！

もっとホラー映画とか見て心臓鍛えておけばよかった！

「あの、話し合おっ！　これ以上罪を重ねるのはよくないよ！　あたしを刺したらバイトも首になっちゃうよ！　せっかく研修生卒業したのに！」

「あんなバイト、不破の恋人を寝取るために始めただけで、どうだっていいですよ！　あんなファミレスなんて、どうだって――」

「――はぁ⁉」

思わずカチンときた。冴の言葉を遮《さえぎ》って、叫ぶ。

「どうでもいいわけないでしょ！　冴はどうでもいいかもしんないけどね！　あたしはめっ

ちゃ本気でバイトがんばってたんだから！　そういうこと言わないでよ！」

ついつい怒鳴り返してしまった。

冴を逆撫《さかな》でするのは、ぜったいによくないってわかってるはずなのに。バイトのことを否定《ひてい》されたら、あたしだって黙っていられない。

冴はわずかにひるんだ顔をする。しかし、グッと唇を嚙《か》んで踏みとどまった。

「だ、だったらお付き合いしてくださいよ！　不破を捨てて、私を選ぶって言ってくださいよ！　不破の好きな女の子を略奪できたら！　私は今度こそ不破に勝ったって言えるんですから！　あいつを乗り越えなきゃ、私はずっとだめなままなんです！」

ああああもう。

「絢のせいにしないでよ！　あんたはちゃんと仕事だってできるじゃん！　ぜんぜんダメじゃないし！　てか、あんたがダメなのは、あんたがダメだって自分で思い込んでるからでしょ！」

冴が自分をだめだめって言ってたら、あたしはどうなるのよ。歴代バイトの中でも三本の指に入るって言われて、いい気になってたあたしはさぁ！

心についた火が燃え上がる。もう言葉が止まらない。

「二年も前のことをいつまでも引っ張って、しかもそれを本人じゃなくて付き合ってる女の子のほうにぶつけるとか、ダサすぎでしょ！　そんな子がいくら告白してきたからって、あたしは絶対付き合わないから！　冴に告白されて、本気で悩んで、真剣に考えたのに！　困ったけど、ちょっとは嬉しかったんだからね！　それがなんなの、もう、バカにしてさあ！　人を当て馬扱いしないでよ！　あたしは榊原鞠佳よ！」

ゴミ箱の底を摑んで振り回すように、言いたいことをブチ撒《ま》ける。

猛獣のような勢いには、さすがの冴もたじろいで。

「う、う、う……！　うるさいですよ！」

って、反論できなくなったのか、冴はついにハサミを突き出してきた。

うわあ！　物理はだめだってば！

「む、ムリムリムリムリ！　暴力反対！」

「私は、私は……幸せになりたいんですー！」

「それがあたしを刺すこととなんの関係があんのよ！」

「そうしたら今度こそ不破は私を恨んでくれるでしょ⁉　一生、憎んでくれるでしょ⁉　ちゃんと忘れないでいてくれるでしょ⁉」

「もうわけわかんない！」

あたしは公園の端っこ、柵へと追い詰められた。

ハサミを腰だめに構えた冴が、じりじりとにじり寄る。

人生、ここで終わり？

ウソでしょ。そんなの。

一瞬、お葬式のシーンが瞼《まぶた》の裏に瞬く。

あたしの棺にすがってるのはアスタ。だから言ったのにマリー、って泣きじゃくってる。やだ、やだやだ、そんなのやだ！

これから先、あたしには最高の未来が待ってるはずなんだもん！　だから――！

「ありえないから！　ありえない、ありえないから――」

夜の公園に、ひときわ大きな叫び声がこだました。

その直後だった。

「『セーフワード』」

横から突き出た手が、冴ちゃんの手首を掴む。

え？

それはまるで影から出てきたみたいに、いつの間にかあたしの隣に立ってて。

明るい髪を夜風になびかせながら、正義の味方みたいに現れたのは――。

絢だった。


「あっ、絢ぁ！」

「不破⁉」

私服の絢はがっちりと冴の手首を摑んだまま、離さない。

あたしも見たことないような空気が凍りつくほどの剣呑《けんのん》な目つきで、冴を睨《にら》みつけてた。

「そういえばファミレスで、見たことあるような、そうじゃないような顔の気がしてた。榎本《えのもと》先輩だったんだ」

「あんた人の顔忘れすぎなんですよ！　いつも胸元《むなもと》にネームプレートかかってたでしょ！」

「鞠佳以外の胸とか興味ない」

吐き捨てた絢が、冴の手首を摑んだまま新体操選手のようにくるりとその場で一回転。腰を回しながら、冴の手首をひねった。

絢の髪が天使の羽根みたいに舞い上がった直後。

ただそれだけで——冴はプロペラみたいに空中できりもみ回転し、ずだーんと地面に叩きつけられたのだった。

「ぎゃふん！」

絢は、冴の手から落ちたハサミを、即座に蹴《け》り飛ばす。

す、すごい！

絢の武道、リアルで初めて見た……。かっこよすぎ……。

「あ、絢……絢ぁ……」

安心感から、思わず涙があふれてきてしまった。あたしは絢に抱きつく。

「助けに来てくれたんだー、あやー……ありがとー……うわーんこわかったよー……愛してるよー……」

絢は、よしよし、と背中を撫《な》でてくれる。

「学校の様子がおかしかったし、怪しんでたら可憐さんから連絡がきてね。相手がなんかやばい女かもしれないっていわれて、念のために張ってた。なにもなければ、そのまま帰ろうって思ってたんだけど」

きてよかった、と絢は言った。

わー、可憐さんありがとー、命の恩人だー……。今度お店にいったら、いっぱいカクテル注文するねー……。

でも、見てたならもうちょっと早く助けに来てくれても！

「濃厚な変質者ごっことかしてるのかと思って」

「しないよそんなの！」

「セーフワードが出たから、助けた」

「決めててよかったなあ！」

まさしくセーフワード。あたしの命を救う言葉だった。

胸を撫で下ろしてると、しかし隣の絢がぽつりと。

「でもいっておくけど私、鞠佳にもちょっとムカついているからね」

「えっ⁉」

頭を撫でられながらも、絢の発言にびくっと硬直する。

な、なんで絢が？　冴のおっぱい触ったから⁉　いや、これは浮気じゃなくてですね！

違った。

「可憐さんじゃなくて、最初から私に相談していれば、こんなこわい思いをすることはなかったんだよ」

「そ、それは……い、いろいろと事情がありまして……」

絢の瞳が映すのは、明らかにテンパった顔のあたし。

「私、信頼されてない？」

やばいやばいやばいやばい。後ろめたさも合わさって、ハサミを突きつけられたとき以上の冷や汗が流れる。

違う、違うんだよ絢。だって、なんでもかんでも絢に相談するのは、ほら、か、かっこわるいじゃん……！

「まあ、お仕置きはまた今度ね。今は……鞠佳が無事で、ほんとによかった」

ひときわ優しい声に、あたしは「うん……」と小さくうなずいた。

心配かけちゃってごめんなさい。

一方、冴は地べたにひざまずいたまま、片手で腰を押さえながら、こっちを……っていうか、あたしを抱きしめた絢を睨みつけてた。

「なにいちゃいちゃしてるんですか……！　うう、不破、ついに現れましたね……また私に無様を味わわせて！」

「知らないけど」

今もかつてもブン投げた相手のことを、絢は一言で切り捨てて。

「私は鞠佳を守るって約束したんだから」

絢はあたしをかばうよう、前に立つ。

「鞠佳に手をだすなら、殺すよ」

それは寒気が走るような本気の声だった。ひょええ……。

さすがに冴もビビったみたいで、一瞬うえって顔をしたんだけど……それでもなお、立ち上がった。

砂を払いもせず、なにも持ってない手を絢に突きつけながら。

「……じょ、上等じゃないですか！」

その目からは、涙が流れてた。

「あなたのことなんて、本当に、心から大嫌いです……！　いつもそんな澄ました態度で、なんでもできますって顔して、男も女も、私の好きなもの全部奪っていって……！　才能あるやつが、そんなに偉いんですか！　生まれつき美人で、さぞかし人生いい思いばかりしてきたんでしょうね！」

絢はなにも言わず、ただじっと冴のことを見つめてる。そこにはなんの感情も浮かんでない。まるで路傍の石のように。

さらに冴ちゃんはあたしを指差して。

「鞠佳ちゃんだって、私よりあなたを選ぶ！　なにが違うっていうんですか⁉」

「…………」

「どんなにがんばっても、私はあなたに傷跡すらもつけられない！　ずっと、ずっときらいです！　あなたなんて、死んじゃえばいいのに！」

絢が来てくれて、気持ちが落ち着いたからだろうか。冴の印象は、さっきまでとはなにかが違ってた。

人を傷つけようとしたのは悪いことだし、絶対にダメだ。しかもストーカーしたり、略奪愛しようとしたり、ほんとどうかしてる。普段のあたしなら、関《かか》わろうなんて思わなかった。

だけど、あたしは冴を心から憎むことができなかった。

……なんか、バリバリに絢をライバルとして意識してた頃のあたしに、ちょっと似てる気がして。

つい、余計なことを口出しちゃう。

「……違うよ、冴。ちゃんと、絢は毎日がんばっているんだよ。うまくいかない日だっていっぱいあるし、冴にされたことで、絢はずっと傷ついていたんだよ」

「なんでこの人をかばうんですか！」

それは、もちろんカノジョだから……というだけの、理由じゃない。

絢が誤解されてるならそれを解いてあげたいし。

それに、冴だって。

「鞠佳ちゃんは『こっち側』でしょ⁉　才能なんてない普通の人同士で、私たちは――」

そのとき、思わず手が出た。

ぴしゃりと冴の頬を張る。

そんなに強く叩いたつもりはなかったんだけど、いい音がした。

「よし、あと九十九発」と後ろから絢がトレーナーみたいなことを言ってくる。いやいや、しないからそんなに。怖がらされた仕返しは、この一発で十分だから。

「ねえ、ちゃんと聞いて、冴」

冴はううとうなりながら、大粒の涙を流してた。

「新宿のビアンバーでバイトなんてできない！　近所のファミレスが精一杯！　こんなのがそばにいたら、人生おかしくなっちゃうじゃないですか！　私は三年間、楽しいことなんてなんにもなかった！　なにをしてても、不破だったらもっとうまくやるんだろうなって、思わずにはいられなくて！」

もしかしたら冴は何度もあのお店に通ったことがあるのかもしれない。

けど、バーテンダーの格好をした絢は気づいてくれなくて、そこでもやっぱり打ちのめされたんだろう。

鞄にくくりつけられた三つのストラップ、ベンジャミンバロッくん。それはちょうど絢がなくした個数と一緒だ。

電車でこっそりとバレないように、絢から盗んだもの……なのかもしれない。根拠はないし、冴は絶対に認めないだろうけど、なんとなくそう思った。

……でも、そんな些細《ささい》な復讐《ふくしゅう》をして、自分を慰めなきゃいけない気持ちは、あまりにも惨めだよ。

ハサミを拾った絢がチョキチョキしながら「黙らせる?」と聞いてきて、ビビる。

「ちょ、ちょっと待って、まだ話したいことが」

「なにもないけど」

「絢にはなくてもあたしにはあるんだって、って」

車道に飛び出そうとした我が子を止めるように、絢に手を引かれた。

絢の顔がずいと間近に迫り、反射的に「うっ」と息を止めてしまう。

「その人は、鞠佳を襲ったんだよ。一歩まちがえれば、大事故だよ。さっさと警察につきだすか、あるいは殺して埋めよう。そして、どこか知らない町でいっしょに暮らそう」

「やだよ! お母さんもお父さんもいるし、友達や学校だってあるもの!」

「鞠佳は、すべてを捨てて、私ときてくれないの？」

「待って、ごちゃつく！　今その話はしてない！」

急に究極の選択を突きつけてきた絢を、押し止める。

「そりゃ、絢にとってはぜったいに許せない相手なのかもしれないけどさ……」

「べつに、もうなんとも思ってない」

絢はなんとでも思ってそうな顔で、そう言った。後ろから冴の「ふぐぅ！」というカエルの潰《つぶ》れたような悲鳴が聞こえてきたけど、いったん置いといて。

「榎本先輩は、昔から思い込みの激しいひとだった」

「……そうなの？」

「あのひととは、中学でテニス部に入ってから、知り合ったんだ」

そこから、絢はぽつぽつと冴の話をしてくれた。


中学校に入学した絢は、テニス部を選んだ。これといった理由があったわけじゃなくて、ただなんとなく未経験の新入生にも優しくしてくれそうだったから、と。

そこにいたのが、一個上の榎本冴だった。

絢はもちろん中学の時点から美人だったので、嫉妬《しっと》ややっかみなしで付き合ってくれる貴重な存在が、榎本先輩だったという。

今の冴からは想像もつかない話だけど……。

ともあれ、絢は他の人には言えないようなことも、冴には相談できた。冴は聞き上手で朗らかな優しい先輩で、絢には特に目をかけていてくれたらしい。ときどき、その思い込みの強さに辟易《へきえき》することもあったみたいだけど。

「あの頃《ころ》の私は、狭い世界に生きてました……。私も、どこか周りの人からは浮いてしまって、こんな私を理解してくれるのは不破絢しかいないと思ってたんです……」

「だまってて」

「あ、はい」

辛辣《しんらつ》な絢である。

ふたりは先輩後輩の枠を越えて、いい友達になれた。そのはずだった。

ある日、冴は絢に淡い恋の相談をした。気になる男子がいる、と。絢も親身になってその相談を受けて、彼女の恋を見守るつもりだったのだけど。

「ぜんぶ、榎本先輩が襲いかかってきたせいで、おしまいになったんだよ」

「あれは、不破絢が……」

「私は色目なんて使ってない。向こうが勝手に勘違いしただけ。ほんと、ありえない」

あたしの口癖を使って、絢は吐き捨てた。

「榎本先輩は、昔からいつもそう。自分の考えたことがなんでも正しいと思って、向こう見ずに行動する。テニス部の子が顧問にセクハラされてるかもって噂《うわさ》になったときも、真偽を確かめずに職員室に殴り込んでいった」

「だ、だってあれは！　もし本当のことだったら、一大事じゃないですか……！」

「まちがってても一大事だったよ。みんな、迷惑してた」

「不破だって誰にもなにも言わないで、誤解されるようなことばっかり！　それだから、周りの人にわかってもらえないんですよ！　いつも不機嫌なのかってビクビクされて、下級生が入ってきたときなんて『不破先輩はどうしていつも怒ってるんですか？』ってしょっちゅう聞かれましたよ！」

「今はあの頃とはぜんぜん違う。愛想だってよくなった」

え？　思わず口を挟むところだった。

その考えを読まれたわけじゃないと思うけど、絢はぎゅっとあたしの腕を抱く。

「それに、私には鞠佳がいる。鞠佳は私のこと、わかってくれる」

言外に、あなたとは違う、という意味が込められてたような気がした。

ただそれ以外を切り捨てた絢の姿は研ぎ澄まされていて、美しかった。

愛を感じる。あたしがこれまでの人生で培ってきた空気を読むスキルが、絢との関係性で活《い》かされてるんだと思うと、優越感を抱く。あたしは絢の不器用なところも、言葉が足りないところも、全部が全部じゃないけど、ちゃんとわかってあげられる。

世界にあたしさえいればいいんだって、絢にプロポーズされてるみたいだ。

だけど……。

嬉しいけどさあ！

「それじゃ今までと一緒じゃん、絢！」

「鞠佳？」

「絢は、自分を変えようと思って、変わったんでしょ？　がんばってきたんでしょ！　知沙希や悠愛とも仲良くなったし、あたしの好きな学校だって好きになってくれるって言ってくれたよね。そういうのめっちゃかっこいいと思うし、あたしはそんな絢が大好きなんだよ！」

叫ぶ。

「あたしを大事にするのは当然として！　あたし以外のこともちゃんと大事にしてほしい！」

我ながら、とんでもない発言。子どもの駄々か？　ってなる。

「……なにそれ」

あたしは絢を困らせてるだめなカノジョだ。でも、こんなことを言うのは、相手が絢だからだよ。

「うん、あたしのわがままだけど！　でも、絢はなんでもできるんだから！　どんなことだってできるんだから絢は！　天才だから！」

こないだ否定したはずのことを、ことさら口にする。

「そのぶん、あたしもがんばるから！　だから」

だから。

あたしは100メートル走の合図で強く足を蹴り出すように、言った。

「今からメッセージでいつでも連絡できるように、三人のグループ作るから！」

スマホを取り出して印籠のように掲げるあたしに、絢と冴は声を揃えて。

『え』

なに言ってんだこいつ……という顔をしたのだった。

ふたりが呆気《あっけ》にとられている隙に、あたしは絢と冴の連絡先をまとめて、三人でのグループを作った。これでいつでも三人で会話できる場のできあがり。

すかさずスタンプを送る。『よろしくね』のかわいいワンコのスタンプだ。

「まって」

逃げ去る野良猫《のらねこ》のしっぽを摑むみたいに、絢が不条理を味わいながら手を伸ばしてくる。

「なんでそんなことを……」

あたしはきっぱりと告げる。

「ふたりに、もっとお互いを理解してほしいから」

「意味がないって」

「あるもん」

今は議論をしてる場合じゃない。ここは勢いで、あたしの意見を押し通させてもらう。

「あたし、絢の昔の騒動に巻き込まれちゃった形なんだから、今回はちゃんとあたしの言うこと聞いて」

「それは……」

絢が眉根《まゆね》を寄せる。その後に「あのとき、トドメを刺しておけばよかった……」と物騒な独り言をつぶやいてたけど、とりあえずは従ってくれたようだ。

一方、冴ちゃんは三億円の宝くじの当選メールが届いたかのように、スマホを見て死ぬほど動揺してた。

「ふ、ふ、ふ、不破の連絡先……あう、ううう……連絡先……うううううう……ほ、ほんもの……もうピザ屋の電話番号を『不破絢』って登録しなくても、いいんですね……本物だ……」

「ええと、聞いて冴！」

「あっ、はい！」

地面に正座して、ピンと背筋を伸ばしてきた。

「冴は、絢に夢を抱きすぎだから！　この子、移動教室で次にどこ行けばいいかわかんなくて、クラスメイトにも聞けなくて内心はオロオロしてたりするんだからね！」

横から「まって」と絢のじゃっかん恥ずかしそうな声がした。気にしない。

冴が大きく首を振る。

「そんなの私の不破じゃありません！　不破だったら誰にもなにも聞かなくても、一番に音楽室とかに着いていて、物憂げに窓の外とか眺めてるに決まってます！　それで接点もないクラスメイトを無自覚に惚れさせたりするんです！」

「わかるけど！　それは、幻想だからね⁉」

イマジナリー絢はパーフェクト美少女だ。けど、その絢しか見てないようじゃ、絢のことなんて一生わかんない。呪《のろ》いは一生解けない。絢にだって無理だ。

けど、あたしになら、できるかもしれないから。

なんたって、十七年間、人の間で生きてきた人間なんだ！

「あと、今さらだけど、人にハサミを向けたら危ないでしょ！　怪我《けが》したらどうすんの！　ムカついたことがあったらまず口で言いなさいよ、人間には知能と言語があるんだから！　あるんでしょ⁉　冴にも！」

「あ、ありますね……」

こくこくとうなずく冴。

「あと、ちゃんとバイトには来てよね！　バックレたら今度こそ警察に通報してやるから！」

「は、はい…………」

苛烈《かれつ》な波の去った後の冴には、バイト先の上品で気弱な面影があった。今さら上品もなんもないんだけど。でも、もともとあっちが素なんだろうって思った。

ふたりが冷静さを取り戻す前に、急《せ》かすみたいにパンパンと手を叩く。

「さ、ほら、挨拶！　コミュニケーションの基本にして極意！　絢、得意でしょ挨拶！　冴もお客さんが入店したらするでしょ挨拶！　さ、さ！」

絢と冴がスマホをいじって、グループにスタンプを送ってきた。どちらも観葉植物くんのスタンプで、かぶってた。それを見て、冴は妙に嬉しそうに、そして絢は苦々しい顔をしてる。

かたやあたしは、腕組みをして、役割を全うするためのしたり顔。

「いい？　別に仲直りしろなんて言わないよ。どうしても合わない人っているし、うまくいかないことだって山ほどあるし。でも、だからって、ひとりを憎み続けて三年間も棒に振るなんて、ほんと意味ないから」

そんなことをこれからも続けてたら、ふとした拍子に感情が暴走して、また誰かに迷惑をかけてしまうとも限らない。

ていうか絢のカノジョであるあたしが狙われる可能性が高すぎる！

だからこれは、あたしにとっても死活問題なのだ。

「だいたい冴は今年受験生でしょ？　勉強しなさいよ、勉強。それで大学落ちて、また逆恨みされたら、たまったもんじゃないからね」

可憐さんの直感より、あたしはあたしを信じたい。

だってあたし、本当にやばいやつと友達になんて、ならないもん。

だから、こじらせるのはもうここまで。まだぜんぜん手遅れなんかじゃない。ちゃんとお互いを知ればいい。

毎日挨拶からでも、自己紹介でも、なんでもいいから。

そうしたらきっと。ううん、今からでも絶対に糸はほどけていける。

なんたって、絢はあたしの大好きな人で、冴はあたしの友達なんだから。

……というわけで、本日はここまで。

さすがにあたしも、いろいろありすぎてスタミナが切れる寸前だ。

「じゃあ、そろそろ帰るけど、冴」

「は、はい」

「土曜日、渋谷ハチ公前ね。あ、バイトがあるからとりあえず明日か。よろしくね」

『えっ』

またも絢と冴の声がハモった。

今回はまったく意図してなかったので、あたしも首を傾げる。うん？

「鞠佳ちゃん……私と、また、遊んでくれるんですか……？」

「え？　うん。別に、友達だし。あ、牙がもう二度とあたしの顔見たくないっていうなら、検討《けんとう》するけど」

　そこで腰をガッと掴まれた。うひょあ⁉

「なに考えてるの、鞠佳」

「な、なにが？　なんで怒ってるの、絢」

「そりゃさすがに怒るよ。榎本先輩に刺されそうになったんだよね？　なのにふたりきりで出かけるの？　そんなの、どうかしてる」

「いや、さすがに二回もやらないでしょ。やらないよね？」

「し、しません……」

　必死にうなずく牙を見て、絢が再びため息をついた。それから、大嫌いな食べ物を口にする前のように低い声を出す。

「わかった。とりあえず、可憐さんに頼んでスタンガンは用意しておくけど、あさってまでは間に合わないから……。私も一緒にいく」

　ここでへらへらと『えー、だいじょうぶだよー。絢は心配性だなー』とか言ったらブン殴られそうな気配を感じたので、あたしは貞淑《ていしゅく》に「うん」とうなずいた。

「えと……ありがと、絢」

「どういたしまして」

むすっとした絢に内心怯《おび》えつつ、あたしは両手を上げた。

「――それじゃあ、解散！」

夜の公園にあたしの声が響く。

近所迷惑になりそうな騒ぎはこれにて閉幕。

「あ、じゃ、じゃあ……あの、すみませんでした……。鞠佳ちゃん、また明日……」

「うん、また明日、バイトでね」

冴は何枚か絢の写真を撮ってから、そそくさと逃げるように帰っていった。


ふう。

ようやく、終わった。

「はー……疲れたね」

「………………」

絢は冴から奪ったハサミをゴミ箱に捨てて、あたしの下にやってきた。

って、まだ終わってない⁉

冴が去っていってから、絢が一言も口を開いてない。

やっぱり怒ってるのかな……。あたしがいろいろと勝手なことをしちゃったから。

けど……こればっかりは空気読んで謝ったりしない。

おせっかいで、出しゃばりだったかもしれないけど……あたしは自分がいいと思うことをしたんだ。

あのままじゃ冴はだめになっちゃうし、そんな冴をだめにした絢だって、傷ついちゃうに決まってる。

だって絢は優しいんだもん。絢が冴のこと簡単に見捨てられるような人だったら、知沙希や悠愛とあんなにすぐ仲良くなれないよ。

だから、今はいやでも、がまんして、絢。ぜんぶがぜんぶ、本当にだめになっちゃう前に。

これ以上、絢が傷つくことになっちゃう前に。

……ね、あたしのこと、ちょっときらいになってもいいから。お願い。

冷たい風が吹いてくる。ずいぶん汗かいちゃったから、体が冷えてきた。

小さく震えるあたしの肩を、絢が抱いてくれた。

「……絢？」

「うん」

絢があたしの唇にキスをする。触れ合う程度のキス。

ええと……どういう意図？

不安げに絢の顔を見上げる。静寂の女王は、月の下で難しい顔をしてた。

「あのね、鞠佳」

「う、うん」

「言いたいことが、三つあるんだけど」

ごくり。生唾《なまつば》を飲み込んだ。

「どうぞ」

「ひとつ目」

絢が頭を下げた。

「きょうは、私の過去のせいで巻き込んで、ごめんなさい」

「え？　いやいや、そんな、絢のせいじゃ」

いや、絢のせいって言っちゃったけどね！

「確かに怖い目には遭ったけど、絢が助けに来てくれたから、あたしはもう大丈夫だよ。しばらくはハサミを見たくなくなっちゃうかもだけど！」

「うん……それで、ふたつ目」

「はい」

「私は誰が相手でも、可憐さんやアスタであっても、鞠佳を傷つける人がゆるせない。傷つけようとするひとも。鞠佳のことがいちばん大事だから。もっと鞠佳も自分を大事にして」

「う、うん……。それは、その、土曜日のことだよね？　こちらこそ、ごめんなさい」

あたしは大丈夫だと思ってるんだけど、それも絢に言わせれば、危機感が足りないってことなんだろう。

また絢を心配させちゃったことについては、さすがに申し訳なさが勝った。

絢からのお説教は心に来る。大好きな人だから、いちばん防御の薄いところを貫かれる気持ちだ。

あたしがどんなに絢を想《おも》って、絢と冴にお互い誤解を解いてほしいと願っても、そんなのはあたしの自己満足でしかない。

これは、あたしがしてあげたいことであって、絢がしてほしいことじゃないんだ。だから怒られても仕方ない。『絢のためを想って！』だなんて叫ぶような、図々しい子にはなれない。

「それで、ええと……三つ目は？」

だから、絢はきっとあたしに大目玉を食らわそうとして。

「ありがとう」

「………え？」

絢は、あたしを前から抱きしめた。

細い腕を首に回してきて、ぎゅうと引きよせられる。

「いや、でも、あの」

なぜかあたしは、そんなことをしてもらう資格なんてないんじゃないかって、抗弁してしまいそうになる。絢の言葉を受け入れることができず。

そんな天《あま》の邪鬼《じゃく》なあたしに、絢は微笑んで。

「鞠佳があたしのためにしてくれようとしたこと、うれしいよ、ぜんぶ」

「で、でも……」

絢の穏やかな声が、あたしの耳にするりと入り込む。

「いい子だね、鞠佳。私のためにがんばってくれて……ありがとね」

「あ……」

それは、あまりにも優しくて。

「……うん」

ほんと、絢ってば。

あたしを甘やかし過ぎだよ。

絢のからだ、あったかい。

「………私も、こうすればよかったのかな」

「え？」

「ううん、なんでもない」

首筋に顔をうずめてきた絢は、甘えるように頭を動かして、ささいてきた。

「私、鞠佳がいてくれて、よかった。鞠佳にふさわしい女の子になれるように、これからもがんばるね。大好きだよ、鞠佳」

勝手に突っ走って、勝手に決めて、被害者のはずの絢まで巻き込んで。

どこが絢の琴線に触れたのかさっぱりわかんないけど、でも。

お互いがお互いのため、好き勝手にだけど、一生懸命がんばる。それが、女の子同士で付き合うってことなんだと、あたしは思ってるから。

「——それ、ぜんぶあたしのセリフだよ」

笑いながらそう言って、もう一度キスをした。


ちなみに渋谷の三人でのデートは本当にひどくて、絢と冴は口を開けば憎まれ口ばっかりで、すっっっっごく疲れて、さすがのあたしも後悔したけど。

でも、ここからまた始められそうな気がしたのは、あたしだけじゃないって信じてる。

先が見えないぐらい長い道のりかもしれないけど、一歩一歩進んでいけるって、ね。

「え⁉」

十月も終わり、本格的に寒さも増してきた頃、更衣室であたしは目を剝《む》いた。

冴《さえ》は初めて背伸びをしてヒールを履《は》いた女の子みたいに、恥ずかしそうに口を尖《とが》らせてる。

「別に、大したことでは……」

「なんでもうBランククルーになってるの⁉　昇級早くない⁉　あたしこないだ店長に『お前は五年にひとりの逸材だな』って褒められたのに！」

「……不破《ふわ》のことで悩む時間が減った分、ちゃんとバイトにも力を入れようって思っただけです。大学も推薦で決まって、余暇もできましたし」

「天才かよ……」

頭を抱える。なんで急にそういう頭角を現すかなあ。

あたしたち絢《あや》に劣等感をもつ同盟じゃなかったの？　こいつめ……。

「顔がよくて、おっぱい大きい上に仕事ができてさ……。絢と付き合ってるあたしが働き出したファミレスに、あわよくばあたしを寝取ってやろうって動機で働き出した女はやっぱ違うな――……。具体的には行動力とか……」

「無理矢理に人を宿敵とのグループＬＩＮＥに突っ込んだお方に、言われたくありませんけど……」

今でこそ、そんな憎まれ口を叩《たた》いてる冴だけど、実はあの第二次ハサミ事件のあと、あたしは冴にかなりがちの謝罪をされた。

なんといっても、バイトあがりにいつものように更衣室に入ったら、そこに土下座してる冴がいたのだ。さすがにビビった。

『本当に申し訳ありませんでした。不破のことで頭がいっぱいとはいえ、無関係の鞠佳《まりか》さまを巻き込んでしまい……心よりご迷惑をおかけいたしました。鞠佳さまのしたいようになさってください』と。

しかも近くにはハサミが置いてあった。きれいに伸ばした長い黒髪にあてがわれていて、あたしに好きなようにしてくれ、ということだったらしい。

迷惑をかけられたあたしは、なるほど確かに、とハサミを手に取って、もちろんチョキンと髪を切ってやった。

端っこの枝毛をね。

『ばーか。顔をあげてよ』

『……え？』

あたしはぺちんとそのおでこに、デコピンをした。涙の浮かんだ顔に、ベーと舌を出す。反省したのはいいことだけど、でも謝る相手が違うでしょ、と。

『冴は、いつか必ず、ちゃんと絢に許してもらうこと。大変かもしんないけど、でも、ぜったいさせてみせるからね。それまで、つきまとってやるんだから』

『ふ、不破に……』

愕然《がくぜん》とする冴に、あたしはにっこりと微笑《ほほえ》んだ。

『大丈夫大丈夫、あたしがついてるでしょ。任せなさい』って。

ま、今のところは難しそうだけどね。長い目でみて、がんばってもらいましょう。

ファミレスの制服を脱いで、私服に着替える。きょうはこのあと、バーに向かう予定なのだ。行く？　って聞いたら冴も来るそうなので、ふたりで連れ立って新宿へと向かってゆく。

バイト帰りの電車は、帰宅ラッシュとニアミスしてて、けっこうぎゅうぎゅうだった。冴とくっついた状態になると否《いや》が応でも大きな胸を押しつけられてしまう。ううむ、これだけは素直に羨《うらや》ましい。

「てか冴ってさ、もともと中学では男の人が好きだったんだよね」

「もともとっていうか、今もですけど……」

「女同士で付き合っているあたしたちを、ヘンとか思わないの？」

「思いません」

冴はきっぱりと首を振った。意外。

「別にどうでもいいじゃありませんか。誰《だれ》が誰と付き合ってても」

「まあそりゃ」

夏休み前のあたしに聞かせてやりたい台詞《せりふ》だわ。

「……しいて言えば」

「ん」

「最初は、あの不破と付き合っている女の子がどんなやつなのか、興味本位で近づいたんです。予想通りというかなんというか、頭空っぽなへらへらした陽《よう》キャが現れたので、ああやっぱり不破はその程度の女だな、っていう気持ちになったんですけど」

「お、第二ラウンド勃発か？」

こんなことならほんとに可憐《かれん》さんから、スタンガンもらっておけばよかったな？けど、あたしが威嚇《いかく》するように睨《にら》むと、冴は途端に慌てて。

「さ、最初はそういう気持ちでしたけど……鞠佳ちゃんは思ったよりも真面目《まじめ》で、気づけばするするっと内側に入り込んできて、いつの間にかほだされちゃってましたね……。誰にも心を開かないことで定評のある私なのに……催眠術かなにかですか……？」

「いや知らないよ。ただ毎日がんばって生きてるだけだよ」

火山の中でも生きるクマムシを初めて見た学者のような目を向けてくる冴を、手の甲でぺちりと軽く叩く。

「てか、じゃあぜんぶがぜんぶ、絢への復讐《ふくしゅう》のついでとかじゃなくて、一応あたしのことを友達だとは思っててくれたわけだ。それってていつぐらいから?」

自慢の大きなおっぱいに手を添えた冴は、頬《ほお》を染めながら目を伏せる。

「胸をつんつんされたぐらいの頃から……普通にドキドキしてしまいましたね……」

「あれハニートラップでしょ!?　なんで自分が引っかかってんの!?」

「だって鞠佳ちゃん、話してて楽しかったんですもん!」

「話してて楽しかった相手を刺そうとするんじゃないよ、まったく……」

その言葉が聞こえなかったかのように、冴は咳払《せきばら》いをした。自分に不利な話題はすっ飛ばして、あたしに指を突きつけてくる。

「で、でも、できることなら一刻も早く別れたほうがいいですよ。鞠佳ちゃんのために言ってるんですからね。あの人はまだまだ恋人を幸せにするなんて、無理です。ひどい人なんですから!」

「あーはいはい。残念でした。あたしは今、めちゃくちゃ幸せだからね」

「ううううう……」

雑魚《ざこ》メンタルの冴は、思いっきりうなる。

あんまりからかいすぎると泣いちゃうんだよなあ。

でも、こればっかりは甘い顔は見せないし、容赦しないからね。

本気でがんばってくれなきゃ。絢のために。

そしてなによりも、自分自身のためにさ。

冴、本当は絢のことが大好きなんじゃ？　なんて野暮《やぼ》なことは、ずっと聞かないでいてあげるからさ。


バーに到着したあたしは、カウンターの席につく。

こないだ頼んだピーチのカクテルがおいしかったので可憐さんにお願いしようとしたら、絢がやってきた。

ので、ガーネット色のカクテルを注文する。絢は「任せて」と言って、手際よくシェイカーを振り出した。

土曜の夜だけあって、バーは盛況だ。

冴は離れた席に座ってた。ま、あの子は素直になれない狼《おおかみ》みたいなものだからね。そこが憎みきれないいんだけど。

「鞠佳、きょうも榎本《えのもと》先輩ときた」

「うん、バイト上がりだからねー」

「……これから私と約束があるのに」

情念のこもった瞳《ひとみ》で見つめられて、体の奥がむずむずする。

冴の本性を知ってから思ったのは、なんとなく絢と冴って似てるんじゃないかってことだ。

感情が重いところが特に。そんなこと言ったらふたりになにされるかわかんないから、口が裂けても言わないけども。

「うん、楽しみにしてる、絢」

「……私も楽しみだけど」

表情に陰りが差した絢は、最近じゃ知沙希《ちさき》や悠愛《ゆめ》ともうまくやっている。

知沙希とはゲームの話で盛り上がってるし、悠愛は百合漫画の愛好家だったらしく、しょっちゅうその話をしてる。絢が楽しそうだから、あたしも毎日がすごく楽しい。

あたしが知沙希や悠愛と一緒にいてもなんとも言ってこないのに、絢は冴にだけはジェラシーするみたいなんだよね。

やっぱり複雑な感情が渦巻いてるんだろうな。

カクテルに口をつけながら、カウンターを挟んで立つ絢に上目遣《うわめづか》いで問う。

「ね、絢はあたしが冴と話しているの、イヤ?」

「もちろんいやだけど」

もちろんなんだ……。

「でも、ガマンできないってほどじゃないから、いいよ」

「無理してる？」

「ううん。拗《す》ねてみただけ」

他に注文が入って、絢はそっちに向かっていった。

そうか、拗ねてるのか……拗ねてる絢、めちゃくちゃかわいいな……。心がとろけるほどに甘やかしてあげたくなっちゃうな……。

しばらく働く絢を眺めてたり、スマホをぽちぽちしてたりで、ひとりの時間を楽しむ。すると、また絢が戻ってきた。

お店はそこそこ忙しいのに、伝えたい言葉があるみたいだった。

「あの事件が起きるまでは、仲のいい先輩だったんだ」

「冴と？」

「うん。当時から重くて、思い込みが激しくて、でも、悪いひとじゃなかった。だから、追いつめた私が悪かったのかなって思って、正直、けっこう凹《へこ》んだこともあった」

絢は視線を落とした。

「でもね、鞠佳がむちゃくちゃして、また私たちを結んでくれたから、感謝もしてる。正面から恨み言をいえるし、いわれるし。遠くから無視しあってた関係より、よっぽど楽だよ。ありがとうね、鞠佳」

「う、うん……。どういたしまして」

そう言われると、照れる。

絢は「ようやく、言葉にまとめられた」ってこぼして、いつもみたいに微笑んだ。

やっぱり絢は優しいな。

でも、あれ？　ほんとは冴が謝罪せずとも、もう絢の心は軽くなってくれてるのかな？　なんて思ったりして。

だったら別に、冴はもうがんばらなくてもいいんだろうか。いや、でもこっからか。自分の呪縛《じゅばく》を自分でどうほどけるか。冴自身にかかってるんだ。あたしもちょっとはお手伝いするけどね。がんばれ冴。

離れたテーブルに座る冴を見やると、彼女はさっと視線を逸《そ》らした。

バーテンダー姿の絢に見とれちゃってて、でもそれをごまかそうとしたのかな……。まったくほんとに、自意識過剰だ。先は長いかもしれない。

「じゃ、またあとでね、鞠佳」

「うん、またね」

小さく手を振る。きょうは忙しそうなので、可憐さんとじっくり話す時間はなさそうだ。とりあえずこないだのお礼を一言言って、新しいカクテルを注文する。

飲み物が届く頃、隣に誰かが座った。

思わずうめいてしまった。そういえばそう、占いの話もしておきたかったんだ。

「げ、アスタ」

「ハーイ、マリー」

「あのね、アスタ……。言ってた刃傷沙汰《にんじょうざた》、ホントにあったからね」

「ええ⁉　生きててよかったわ！　日本も意外と物騒なのね……犯人はちゃんと捕まったの？」

「まあそこにいるけど」

「犯人が⁉」

指差すとアスタはドン引きしてた。警察に連絡しようとしてたので、待って待って、と引き止める。ていうかですね。

「それより、また占ってくれない？　厄介事に巻き込まれないかどうかってさ」

「いいケド……今度は誘拐事件に巻き込まれるって出たら、どうしよ……」

「そのときは今度こそ警察を頼るよ……」

アスタに手を掴《つか》まれて、さすられる。こないだよりもさらに入念で、シワのひとつひとつをなぞられる感じがくすぐったい。

「……マリー」

「な、なに？」

なんで暗い声出すの……？　え、今度こそあたし、死ぬの？

「死んじゃうかも、マリー」

「マジでか」

「うん、たぶん、すっごいのね、これ……。うわあ、うわあ、このあと……きょう？　うん、がんばってね、マリー！」

「このあとすぐ!?」

しかもがんばれとはいったい。

こないだは刃物で泣いてたアスタが、死ぬとわかっているのに泣いてくれないというのも、いったい……。どんな謎《なぞ》なの……。

……って、死ぬ？　このあとすぐ？

それって、もしかして。

頬を押さえたアスタの顔は、真っ白な肌がピンクに染まってて、年下だっていうのに生唾《なまつば》を飲み込んじゃうような色気が立ち上っていた。

「あの、アスタ。死ぬっていうのは」

「羨ましい！　ワタシも混ざりたいわ！」

やっぱりそういうやつか！

そこでバイトを終えて着替えた絢が、あたしたちのそばにやってきて「おまたせ」と言ってきた。

　冴はいつの間にか帰ってたみたいだった。絢を見たいけど、会いたくはなかったのかもしれない。まあ、それはいいんだけど……。

「いこ、鞠佳。……アスタ、なに？　目を輝かせて、どうかした？」

「なんでもないから！　行こう！　絢！」

　あたしは絢の手を強く握って引っ張ってゆく。

　後ろからアスタの「がんばってね！」というむやみに明るいエールが飛んできたのだけど、あたしは聞こえないフリをした。


　土曜日の夜。明日は学校がなくて、つまりは、そういうことだ。

　お父さんとお母さんには、女の子のところに泊まるね、って伝えてた。

　全部が全部ウソじゃない。実際、あたしは絢と一緒に泊まるわけで……。

　新宿のホテル。歌舞伎町の奥にある洒落《しゃれ》たホテルの中でも、その上階。広いお部屋のエグゼクティブルーム。ダブルベッドで、一泊はなんとひとり二万円近く。今月のお給料の、豪華な使い道です。

　ルームに入ってすぐ、清潔な匂《にお》いに包まれた。絢が選んだのはフローリングの、大きなバスルームがあるお部屋だ。贅沢《ぜいたく》に広がる空間は、この一瞬一瞬の時間を大粒のラメでアイシャドウするみたいに飾り立ててくれてる。

窓から覗《のぞ》く十五階の夜景は新宿がキラキラと一望できて、とってもきれい。でもそれも、あたしひとりじゃなくて、隣に絢がいるからもっと際立《きわだ》っている感じ。

「ついに来ちゃったね、絢」

「お泊りデート、第二弾だね」

こないだの、遊園地帰りのいきなりのお泊りはだめだったから、今回はちゃんとふたりで計画を立てたんだ。記念日とかじゃなくて、きょうはぜんぜんなんでもない日で、ただのラブラブな待ちに待った夜デート。

気分をぜーんぶ変えて、きょうはとことん、絢と楽しむだけの日。

明日のお昼十二時のチェックアウトまで、あたしたちはふたりっきり。誰の目も気にせず、なんでも好きなことができる。

「ね、ね、絢、あれやっていい？　あれやっていい？」

ベッドを指さしながら、せがむ。

「いいよ、鞠佳」

「やったぁ！」

じゃあお言葉に甘えて、と、どーんっとダブルベッドに飛び込んだ。

ふっかふかのシーツがあたしを受け止めてくれる。両手両足を大の字に伸ばしてもはみ出ないベッドなんて、あたし初めて。

うっわー、きもちいいー。

「ほらほら、絢もおいで、おいで」

絢を向いて、両手を広げて足をバタバタしながら誘う。荷物を置いた絢はちょっとだけ恥ずかしそうにして、小さく「どーん」と言って飛び込んできた。

部屋にホコリが舞って、でもそんなの気にしないであたしたちは笑い合う。

「あーたのし」

「今からそんなにテンションあげてたら、夜もたないよ、鞠佳」

「夜は夜で楽しむもーん」

「もう」

ベッドの上で抱き合って、ちゅっとキスをする。

いつもやられてばっかりだから、きょうはあたしが絢に覆《おお》いかぶさって、何度もキスをしてあげる。おでこに、ほっぺに、まぶたに、首筋。

絢はあたしの頭をゆるゆると撫《な》で回す。

「好きだよ、絢。付き合ってくれて、ありがとね」

「こっちこそ、お給料つかわせてごめんね。鞠佳、私がぜんぶだすと怒るから」

「ふふん、いーのいーの。稼いだお金で絢と同じ額を出して、一緒にホテルに泊まる。それってなんだかすっごく対等って感じだもん」

へんな持論を唱えながら、また絢にキスをする。

困ったように微笑んでた絢だけど、次第にきもちよくなってきてくれたみたいで、「ん……ん……」と鼻に抜ける声を出すようになってきた。

どうしよ、先にちょっとだけ、ちょっとだけしちゃおうかな……なんて、あたしがためらってる間に、絢はあたしの頬を優しく撫でてきた。

「ね、先にごはんたべにいこ。しちゃうと、もうお外に出たくなくなるよ」

「う、うん、そうだね」

そんなにがっついて見えたのかな、ちょっと恥ずかしい。

あたしたちは荷物を部屋に置いて、カードキーを取ってホテルのエレベーターに向かう。高校生か、せいぜい女子大生に見える女子がふたり、豪華なホテルの廊下を歩いてることに妙なおかしさを感じて、笑っちゃう。

「廊下では静かにね」

「はーい」

絢の手を引っ張って、二階へと降りる。

ディナーはお部屋代に含まれた、ホテルのビュッフェだ。カウンターに向かうと自分たちのテーブルに案内される。絢と連れ立って向かった一角には、たくさんの料理が並べられて、どれをどんな順番で食べても構わない。贅沢！

それぞれぐるっと回って自分たちの席へ戻る。着席したあたしたちは、お互いの皿を見て笑い合った。

「絢ってば、お肉ばっかり」

「鞠佳こそ、なんで最初からデザートなの」

「だってこんなの、ビュッフェじゃないと無理じゃん？」

「だったら今度、ケーキバイキングにつれていってあげるよ」

ただ、気をつけなきゃいけないのは、このあと絢と一緒にジャグジーに入る予定があるってこと。食べすぎておなかパンパンのまんまるになるのは、恥ずかしいからね。

何度も往復して、中華だったり、オムレツだったり、ローストビーフだったりを持ってきて、おいしい料理に舌鼓を打つ。絢はさっきから一貫して肉だ。

「そんなに肉食だった？」

「今夜のために、体力つけないとね」

「ひぇ」

じっと見つめられて、あたしは急に胸がいっぱいになってしまう。

もー、絢ってばそんな風に、意識させないでよ。これ以上食べられなくなっちゃうじゃんー。

なんて風に、八つ当たり。しょうがない。だって絢があたしをこんなに好きにさせたのが悪いんだから。

でも食後のデザートだけはきっちりとお腹《なか》に収めて、あたしたちは部屋へと戻る。

エレベーターにカードキーをタッチさせると、自動的にその階へと連れてってくれるシステムだ。すごいなーって階数表示を見上げながらぼーっとしていると、エレベーターの中で絢に唇を奪われた。むぐ。

「だ、誰も見てないからって……こういうとこ、ちゃんと監視カメラついてるんじゃないのー……?」

「いいの。したかったんだから」

「もー」

お部屋まであと少しなのに。廊下を歩いてる最中で、ちょいちょいと絢を呼び止める。振り返ってきたその唇に、唇を押し当てる。さっきのお返し。

へへっと笑ってると、立ち止まってるあたしたちの横を外国人の宿泊客の人が追い抜いていった。

えっ⁉　ちょ、え、見られてた⁉

頬を染めた絢も、呆《あき》れ顔だ。

「鞠佳ってば、大胆」

「そ、そうでしょー、えへ、えへへ……」

ごまかすように笑う。すると、ホテルの部屋に入った途端に、今度は乱暴にキスされた。いきなり容赦なく舌を突っ込まれて、メレンゲを泡立てるようなキスだ。もちろん、あたしの頭もだいぶ溶かされてしまう。

「じゃあ、お風呂《ふろ》入ろっか」

「ふぁ、ふぁい……」

満足げな絢に服を脱がされて、ここからはもうずっと絢のターンっぽい。あたしのターン短かったなあー……。

さすがお風呂で選んだ部屋だけあって、バスタブは広々してて、ふたりが並んでも余裕で入れる作りをしてた。

お湯をためながら、備え付けの多種多様な入浴剤の中からあたしが「これがいい！」とバスバブルを選んだ。

「海外の映画に出てくるみたいな、泡風呂だね。いいよ」

「わーいわーい」

そういえば最近、絢の裸を見てなかったな、って思って注目する。

あいかわらずキメ細かくて、シミひとつない完璧《かんぺき》なプロポーションだ。

あたしが画家なら、ぜひ裸婦画を描かせてもらいたいけど、でも絢の裸を他の人に見られたくないからそれは一生人に見せないんだろうなー、なんて本末転倒なことを思う。

「ね、絢」

「なに？」

「おっぱいなめてもいい？」

「……いいけど」

なんで急に、という顔だ。

あ、でもその前に裸でぎゅーはしておこう。後ろからぎゅーする。

絢の瑞々《みずみず》しい肌が張りついてきて、すっごく気分が高ぶってくる。あっ、やばいなこれ。肌から吸収する媚薬《びやく》みたいだ。

「きもちいいよ、鞠佳」

「う、うん……」

後ろから裸で抱きしめるだけでこんな気持ちになってきちゃうのに、胸に触るとか、やめたほうがいいんじゃないだろうか……。

でも、大丈夫。今のあたしはだいぶテンションあがってるから！　いける！　これぐらい！

お湯がたまったので、着水。絢と正面から座るように入って、バスタブにバスバブルを投入する。

わ、すごい。洗剤みたいに泡があふれてくる！

「うわー、いい香り。すごいすごい、ねえ、これって口に入れてもいいのかな?」

「このバスバブルは洗浄力が弱いやつだから、だいじょうぶみたいだよ」

そっかそっか。じゃあ、と絢を半身浴みたいな体勢にさせて、顔を近づけてゆく。

なんだか緊張してるっぽい絢の、その胸の突起に口をつけた。

「ん……」

ちゅ、と甘く舐《な》めて、優しく吸う。

足と足が絡《から》んで、絢の細くてもちもちしたふとももの感触がきもちいい。さらに耳の上から断続的に聞こえてくる絢の、押し殺したみたいな吐息混じりの声が、たまらない。

「ん、ん……っ」

うん、やっぱりあたし、絢の胸が一番好き。

とっても柔らかくて、ほんのりと温かい。触ってるだけで、心が満たされてく感じ。おっぱいってすごい。これハマっちゃいそう。

「やっぱり大きさじゃないよね、胸って」

そもそも絢の胸はけっこうおっきいしね。あたしがしばらく満足げに揉《も》んでると、唐突にぎゅっと手を摑まれた。

「鞠佳、どこかでおおきな胸をさわったの?」

「え?」

なんかレーザービームみたいな視線が飛んできた……。

「いや、それは、その」

「榎本先輩の胸、おおきいよね」

「今、冴は関係なくない⁉」

絢はニコニコと笑ってた。

「急におっぱいなんて言うから、どうしてかなって思ったんだ。うん、そういうことね。鞠佳のことだから、浮気《うわき》じゃないと思う。だいじょうぶ、そこは信じてるから。でもね」

泡だらけのバスタブの中で、絢は伸ばした足を組み替える。

それは本当に映画に出てくる女優みたいにセクシーで、挑発的で、かっこいい仕草だった。

「ちゃんと、しつけはしないとね。こないだのお仕置きも合わせてね」

「それって、もしかして……」

ドキドキが高まってゆく。

あたしを見て、絢は艶麗《えんれい》に笑った。

心臓が摑まれて、絢色に染め上げられるような笑みだった。

『今夜は寝かせない』だよ」

拘束プレイ。お風呂から出たすぐあとに、あたしに降り掛かってきた女難はそれだった。まあ単純に難って言っちゃうとアレなんだけど……。

でも別にあたしが喜んで尻尾《しっぽ》振って、嬉《うれ》しい、嬉しい！　みたいなテンションでないことだけはわかっててほしいです。はい。

だってこういうアブノーマルな感じじゃなくて、あたしはもっと普通に裸で抱き合うだけとか、そういうののほうが好きだし……たぶん……。

おっきくてフカフカなベッドの上に、あたしは裸で座らされており、両腕は後ろ手におもちゃ（だと信じたい）の手錠で拘束されて、足は前にあぐらみたいな姿勢で固定されてた。

こんなことある……？

シーツを被《かぶ》せられてるのと、お部屋は暖房がついてて暖かいのが、絢の優しさなんだろうか……優しさとは……。

ホテルの一室で、絢はおうちじゃ絶対に見ないような色彩をした、オレンジ色のソファーに足を組んで座ってた。

手にはワイングラスに注《そそ》いだグレープフルーツのジュースを持ってる。バスローブ姿なので、白い太ももがチラチラと扇情的に見え隠れ。本当にこの子、同い年かー？

「見てなさいよね、絢……あたしだってすぐに、それぐらいセクシーになってやるんだから」

「だいじょうぶ。鞠佳はじゅうぶんセクシーだよ」

「……そう？」

「私の性欲をダイレクトに刺激する」

「それはあんたがヘンタイなだけでしょー……」

「うん、好き」

「もう………」

絢が近寄ってくる。爪《つめ》が短く切りそろえられた指が、あたしの頬を撫でる。くすぐったい。

この格好だから、身をよじるぐらいのことしかできない。

「トイレ行きたくなったら、どうするの……」

「そのときはちゃんと外してあげるよ」

「意外」

てっきり、絢だったらもっとヘンタイ的な要求をしてくるものだとばかり。

「鞠佳をしつけようとしているだけで、いやな思いをさせたいわけじゃないから」

「むう……」

あたしがまるでこの扱いを喜んでるみたいなことを言う……。

じっとりと見つめるとなにを勘違いしたのか、手に持っていたグラスを揺らしながら「飲む？」と聞いてきた。確かにお風呂あがりで、喉《のど》は乾いてる。

「ほどいてくれるの？」

「ん」

絢がワイングラスでジュースを口に含んだ。目をパチクリしている間に顔を近づけてきて、ちゅう。そのまま、口の中の液体があたしの口内に流し込まれる。

これ、口移しってやつだ！

絢の唾液が混ざった生ぬるいジュース。吐き出して今晩寝るところを汚すわけにもいかず、喉を鳴らしながら飲み込む。

なんかこれ、あれだ。もてあそばれている感じがはんぱない……。

部屋の明かりに照らされた絢の正面からのお顔は、ぴかぴかに光ってるように見えた。わずかに頬が赤く染まってるのは、お風呂上がりだからだろうか。

「もう一口、いる？」

「……いい」

「好きじゃなかった？　口移し」

「なんか絢の味がする……」

頭を撫でられた。

「やらしい言い方しちゃって」

「してきたのは絢でしょ！」

「誘い受け」

「してないってば！」

こればっかりは断固否定《ひてい》するんだけど、その口をもう一度キスで塞《ふさ》がれた。同じように
ジュースが流し込まれてきて、今度はさっきよりも絢の味が強くなった気がした。おいしいと
もまずいとも言えなくて、もにょる。
「私の味、どんな味?」
「えー……なんか、こう、ぬるい感じ」
「こういうかんじ?」
今度は口元に中指を差し出された。なめろってことだろうか。ちろりと舌を出して、絢の指
の表面をなぞる。
上目遣いで様子をうかがうと、絢は口元を緩《ゆる》めてる。合ってたらしい。
「どう?」
「似てる、気がする」
「そ」
なんでそんな嬉しそうにするのか、よくわかんないけど。
さらに中指を押し込まれたので、一瞬噛《か》んでやろうかと思ったけど。あとが怖いので舌で
にゅるりと包んであげた。
舌を鳴らすような音を立てて、からんころんと、指をねぶる。粘膜に包まれたデリケートな
部分をそうやって動かしてるからか、なんだかヘンな気分になってくる。

「鞠佳、猫みたい」

「こないだは絢が猫っぽかったのに」

「飼いたい」

「欲望が口から、だだ漏《も》れてますけど……」

「私、がんばってお金稼ぐね。飼育代、貯蓄するね」

「あたしの将来設計が！」

　ペッと口から指を吐き出す。さっきまであたしがねぶってた指に、絢がちゅと口づけをした。

そういう、なにげない仕草であたしをドキッとさせるのやめてほしい。反抗心が奪われてゆくから。

「そもそもなんですけど」

「ん」

「どうして、こんな風に手足を拘束したり、するの？」

「もちろん、鞠佳の調教だけど」

「……それって、拘束しないとできないこと？」

「そうだよ」

　バスローブ姿の絢が前にいると、さっきからおっぱいの谷間が見えたりするので、なんだか落ち着かない。まあ、裸で縛られてる状況で落ち着けってのも無理な話だけど。

「いやなんか、縛るのってよくある話じゃん」

「そうだね。松川《まつかわ》さんが三峰《みつみね》さんによくやられて、面倒そうにしてる」

「そういう精神的なものではなく！」

ぜったいにわかってて言ってるはずの絢に突っ込む、この虚無感たるや。

「そもそも絢とあたしの……そういうのって、いつも一方的にあたしがされる側だし、わざわざこんな風に縛ったりしなくても、普段と変わりないんじゃないのかな、って。別にあたし、そんなに暴《あば》れたり嫌がったりしないでしょ？」

「鞠佳はきもちいいの、大好きだからね」

またもあたしはむうと口を尖らせる。他人事みたいに言うけど、あたしがそうなったのは絢のせいですー。

「だから、別に、普段と変わんないし」

「拘束しても変わらないかどうかは、やってみてから」

絢があたしのはおっていたシーツを剝《は》ぎ取って、抱きついてきた。バスローブのふかふかの布地が肌に触れて、すこし心地良い。

「きょうは鞠佳のこと、味わいつくしちゃうからね」

「……はい」

その宣言になんとも言えず、あたしはただうなずく。だってハズいし……。

結局、あたしが絢に好きな風にされちゃうという、いつもどおりの流れ。

そりゃまあ、今度はなにされちゃうんだろう……って、ドキドキしちゃうけど……。

絢があたしの髪に触れる。なにも口に出してないのに、その触り方だけで絢のスイッチが入ったんだな、ってわかる。なんかねちっこいっていうか、情欲がすごいっていうか。伊達《だて》に触られ慣れてるわけじゃないからね。

髪から肩へ。フェザータッチっていうのかな、ふわふわとした指先で撫でられていて、こそばゆい。うーうー。

「鞠佳」

「ん……」

「すべすべで、きもちいいよ」

「それは……どうも」

仏頂面でお礼を言うあたしの他に、毎日磨いてお手入れしてる肌のことを褒めてもらって嬉しいあたしがいたりする。

「鞠佳のいろんなところに、キスするね」

したい？　とか、していい？　とかじゃなくて、するね、という強い女のムーブ。もちろんあたしに拒否なんてできるはずもなく、受け入れるだけ。

首筋から背中へと唇を這《は》わせる絢。

るれぇ……と舌の軌跡が、あたしのきもちいいラインを走ってゆく。

少しずつ、熱を高ぶらされてる感覚がある。急に責めたりしないで、まずは優しく。絢のいつものパターンだ。大胆になってくるのはいつも、あたしが引きずり込まれたあと。

「どう？　動けない状態は」

「んー………もどかしい感じがする」

「そうだよね」

今度は後ろから胸を包まれた。ふるふると揺らされるけど、あいにくあたしは絢ほど大きくないわけで。面白《おもしろ》くもなんともないんじゃないかなあ、って心配をしてしまう。

絢の責めはあいかわらず、宝石を磨くみたいに優しい。その細長い指があたしの突起をつんつんと転がして、いつもならもう少し強くしてくるはずが、きょうばっかりはいつまでも甘いままで。

なんか……切ない。

絢は首筋や背中、ふとももや胸を、丁寧に撫で回してる。もう十分すぎるほど熱は高まってて、ピンと突けば弾けてしまいそうなのに、絢はいつまでたっても無抵抗なあたしの表面をなぞるばかり。

身じろぎする。けど、手錠を繋《つな》がれた腕も、棒で固定された足も、まったく動いてはくれない。

うう、ううー……。

「好きだよ、鞠佳」

「……あたしも、好きだけど」

もどかしい思いをしてるあたしの前に、絢がやってきた。

胸に、絢がキスをする。バスルームの仕返しか、先端に吸いついてきた。すぐ胸元《むなもと》に絢の頭がある。お風呂上がりの乾いた髪はいい匂いがして、あたしの頭の中が一瞬で絢でいっぱいになってしまう。

う……これやばい。いつもと違うシャンプーを使ってるはずなのに、変わらぬ絢の香りに包まれちゃって、好きが抑えきれなくなる。

あたしは後ろ手に縛られたまま、絢にぐいと胸を押しつけてしまう。はぁ、はぁ、と荒い息が自分の口からこぼれてることに気づきながらも、それをやめられない。

「絢……お願い、もっと……」

「ん……」

ちゅぅと先端を吸われ、あたしの口からあられもない声が飛び出た。

「絢ぁ……」

「鞠佳、好き」

「あたしも、あたしも好き……。絢のこと……」

絢をぎゅっと抱きしめたい気持ちがあふれてるのに、あたしの手も足も思うように動かない。絢にしてもらうのをただ待ってるだけになっちゃう。

「ねえ、絢……これ、切ないよ……」

「からだが思うように動かせないのって、どういうきもち？」

生徒の解答を楽しむ先生みたいに、絢があたしに問いかける。

「なんか、不安だし、もどかしい……」

「次はなにをしてもらえるんだろう、って、期待する？」

「それは、だって」

別に、いつも期待しているし……なんて、こんな格好では、口が裂けても言えないわけで。けど、絢は容赦なくあたしを責め立てる。シーツに覆われて、見えない下のほうに絢は手を伸ばしてきて、やらしい微笑みを浮かべた。

「鞠佳、すっごく濡《ぬ》れてる」

「っ、あ、あやっ」

反射的に足を閉じようとしたけど、それはできない。真《ま》っ赤《か》になった顔を隠すことすらできない。

「ば、ばか」

「好きだよ、鞠佳」

「ばかぁ……」

恨みがましい言葉には、優しいキスのお返し。そうなんだ、普段のと拘束プレイとの一番の違い。それは恥ずかしいところを隠すことができないってこと。

ぜんぶ絢に思い通りにされちゃうのはいつもそうだけど、普段はなんとかごまかしてる仮面すらも、そのすべてが剝ぎ取られてゆく感覚。

一段階、絢の世界に引きずり込まれた気がした。

しっとりとした絢の手に触れられて、あたしの頭はぼーっと白く染め上げられてゆく。

完全に奉仕する側と、される側。おもちゃにされる側と、弄《いじ》り倒す側。普段より明確にわけられたその線引きは、間違いなくあたしによくない影響を及《およ》ぼす。

「絢……これ、やばいってば……」

「もっともっと、やばくしてあげる」

「んんっ……」

唯一それだけは自由な口で抵抗を試みるけど、できることはせいぜい嬌声《きょうせい》を押し殺すことぐらい。絢は小さな女の子の身体を洗ってあげるみたいな手付きで、あたしをかわいがる。

すすすと下がってった指の腹が、おなかをトントンとノックする。

「この奥、すっごく熱いね」

「んぅ……」

小さくて甘い振動。一滴の水をほしがるみたいに乾ききったあたしのからだは、それすらも貪欲《どんよく》に舐め取ろうと舌を伸ばす。

全身がすっごく敏感になっちゃってるのが、自分でもわかる。いじわるな絢が与えてくれる少しの刺激で満たされようと、あたしのからだが作り変えられてゆく。

さらに一段階、引きずり込まれる。裸のあたしがもう一枚、剝《む》かれた気がした。

「なにこれ、こんなの、わかんない……」

「いいんだよ、鞠佳。ただきもちいいことだけを、味わって」

「これ、ちがうよぉ……だって、切ないもん……」

あたしと絢は正面から抱き合うような形になってた。

後ろに手を回してきた絢が、あたしの背中をさする。ただそれだけで声が出ちゃいそうなほどきもちいい。

こ、拘束プレイって、こんな風になっちゃうの……？

「鞠佳って、ふだんはどこか『させてあげてる』みたいに思っているでしょ」

「あっ……んぅ……」

おしりを撫で回されながら、耳をなめられる。たまらず声が出た。

「その気になれば抵抗できるし、いやなら態度で示せる。でも、縛られてると、ぜんぶ私の好きなようにされなきゃいけない。それってかんぜんに『してもらってる』って感じで、きもちがぜんぜん変わってくるでしょ」

「わかんないよぉ……」

絢の言葉の意味はほどけて、あたしの耳を右から左へと流れてゆく。その音は鼓膜を震わすただの愛撫《あいぶ》だ。

「鞠佳は、好きなんだよ。こうして、いっぱい愛情をぶつけられて、かまってもらえるのが。だからね、他の人なんて見なくてもいいんだよ。いつだって私が鞠佳の自由をはぎとって、鞠佳のいいわけもぜんぶ壊して、好きほうだいしてあげるから。ねえ、鞠佳。いつだって、私がしてあげるから」

毒すら含まれてるように聞こえる絢のささやきに、あたしはへにゃりという力ない笑みを浮かべた。それを見た絢が、少しだけ意外そうに瞳を揺らす。

ねえ、と小さく唇を開いて。

「絢ってば、妬《や》いてるんだ」

「……」

「かわいい、絢」

そんなことを言えば、どうなるかはわかってたのに、あたしは扉を開け放った。

剝ぎ取られるのがあたしだけじゃ、割が合わない。絢が腹の中に飼ってるその猛獣を見せてほしくて。

でも、どうなんだろう。本当はただあたしがきもちよくしてもらいたかっただけなのかもしれない。

絢はあたしに唇を舐めるような優しいキスをしてきた。だけど、その目には余裕がなかったように思える。

「いいよ、鞠佳」

絢がバスローブを脱いだ。そのきれいな裸が目の前に現れて、あたしは目を奪われる。

「鞠佳に、隠し事をしてるわけじゃないの。でも、私はじぶんの見せ方がよくわからなくて。だから、鞠佳をかわいがることでしか、好きってきもちを伝えられないの」

「わかってるよ、絢」

不器用な絢。でも、大丈夫だよ。

「絢のきもち、伝わってるよ。あたしにいつもきもちよくなってほしい、って。がんばってる絢のこと、好きだよ」

「……うん」

絢のキスを、舌で迎え入れる。

しばらくの無言のとき。新宿のホテルだから、外からはパトカーのサイレンやら、救急車の音がしてくる。非日常の舞台で、あたしたちはふたり抱き合ってる。

「絢のこと、好きだよ。いつもあたしのことを考えてくれてる」

「もちろんだよ、鞠佳のこと、好きだもの」

だから、と続けて、絢が片手をあたしの背中に回した。がっしりと、まるでなにかを固定するように、武道の試合で両者が向かい合うみたいに。

あたしの心とは裏腹に、背中に冷や汗が流れる。これ、こないだの……。

「鞠佳のこと、ほかのだれにも渡さないよ」

「あたしは絢のものだってばぁ……」

「わかってる。わかってるんだよ。でもね、鞠佳が私の腕の中でいっぱいいっぱいになって、はずかしい顔をしている姿をみるとね、心からしんじられるの。今この瞬間だけは、鞠佳は私だけのものなんだ、って。誰もみたことがない鞠佳を、私だけが独占してるんだ、って」

絢の指が強く動いた。肺の中から自分が出したと思えないような声が飛び出る。

けど、そんなことに構うような暇がなかったのは、あたしの頭が真っ白になってたからだ。

うそ。今のこれだけで、トんじゃった。

後ろ手にシーツをぎゅっと握り、足の指を思いっきり丸める。一瞬とまった絢の指先は、再び活動を開始した。拘束されてるから足を閉じるなんてことはできないし、背中に腕を回されてるあたしは身を引こうにも、正真正銘逃げ場がない。

「ああっ、ああ、あぁ……あっ……♡」

あっ、死んじゃうなこれ、って思った。

「鞠佳はいつもかわいいし、誰にでも優しいから、たまにね、思っちゃうんだ。もしかして……って。バイトだって、不安だった。男の子はみんな鞠佳のことを好きになっちゃうだろうし、女の子だって、そう」

絢の言葉はもう半分どころかぜんぜん耳に入ってこない。その間にも、あたしのかわいらしい恋人の指は、ぜんぶの鎧《よろい》を剝ぎ取られてむき出しになったあたしの、一番もろい部分を責めまくってる。

ずっと高ぶらされて、高ぶらされて、指のひとなでですらきもちよくなっちゃうようなあたしへの、トドメみたいな責め苦。

「鞠佳が私のことを好きでいてくれるのはわかってるし、そのために徹底的に落としたんだけど、だけどね。鞠佳ってか弱い女の子だから、なにがあるかわからないし、今回の一件だってそうだったでしょ。同じ職場に榎本先輩がいることに、私はぜんぜん気づかなくて、ごめんね。だから、やっぱり私は、鞠佳をずっとみていたいの」

あまりにもきもちよすぎて苦しささえ覚えちゃう……。そんなのが、さらにまたきもちいい。どうしようもない快楽のループが、あたしを捉《とら》えて離さない。

泣くみたいに声をあげるあたし。

そんなあたしを、絢は愛おしそうに見つめてる。

「本当はね、鞠佳のことをぜんぶ私のものにしたいんだよ。比喩じゃなくて、本当にぜんぶ。

鞠佳が私のペットになったら、不安に思うきもちもなくなっちゃうから。毎日ね、私が鞠佳のことを愛してあげるんだ。……でも、鞠佳には自由でいてほしいとも思うから。鞠佳、重い女とか、きらいそうだし」

絢の様子がおかしいのは、頭の片隅でなんとなくわかった。冴に攻め寄られた件で、ずいぶんと絢は思うところがあったらしい。

確かに絢ってば、溜《た》め込むタイプだもんね。きょうこのホテルの日まで、ずっと、悶々《もんもん》と考えてたのかもしれない。

絢ってべんきょーもできるし、頭いいんだろうな。だからあれこれ、考えすぎちゃうんだ。

「だからね、鞠佳。私は鞠佳を大切にするし、鞠佳以外の人も、ちゃんと大切にするよ。ほんとはそうしなきゃだめなんだって、ちゃんとわかってるよ。……だけど、せめてこうしてふたりでいるときだけは……ふたりっきりの世界でも、いいよね？」

突き刺すような真剣な目に心までも奪われて、あたしは喘《あえ》ぎ声をまじらせながら、絢の名前を呼ぶ。

とうてい意味のある言葉を発することはできなくて、絢の納得いく答えも用意できなくて、それでも。

「あや、あっ、あっ……す、すき、あやのこと、すき、すきぃっ」

それだけを伝えたくて、口を開いてはみるものの、あたし自身のはしたない声にまぎれて伝えられたのかどうかは、わかんなかった。

でも、あたしが絢におもちゃにされることで、絢が喜んでくれてるのなら、それでもまあ、いいのかな、なんてことを思ったりもして……。

「うん、私も好きだよ、鞠佳。今だけは、鞠佳はすべて私のもので……私もぜんぶ、鞠佳のものだから。他のひとなんて、関係ない。誰とも比べなくたっていい。今夜は、私たちだけ、だから……」

あたしたちは別の人間で、相手のためにって思ってても、そうじゃないことをしちゃったり、時には逆効果なことをしちゃうときもあるけど。

あーあ。

空気どころか、人の心まで読めるようになってさ、絢があたしのためにしてくれたこと、思ってくれたこと、ぜんぶぜんぶ、わかるようになればいいのになあ。

なんてそんな夢みたいなことをぼんやりと考えながら、絢の手で夢みたいな時間を味わわされていったのだった。

結局、一晩中、数え切れないほどに気持ちよくされちゃって、あたしと絢は疲労困憊《ひろうこんぱい》。抱き合ったままひとつになって眠りについた。

窓から差し込む陽の光で、目を覚ます。

「おはよう」

「ん……」

見上げた隣、絢が頬杖《ほおづえ》をついてあたしを見下ろしてた。ああ、懐かしいこの感じ。ずっと昔から知ってるみたいで、何度も味わった気がする。ほんとは温泉旅行の日にたった一度だけ。だけど、夢の中ではたくさん。

「コーヒー淹《い》れようか」

「あたし、甘いのじゃないとむりだよ」

「知ってる。ミルクと砂糖をたっぷりね」

ベッドを離れようとした絢の手を摑む。振り返る彼女の胸元に顔をうずめる。

お互い、寝る前にはおったバスローブは前がほどけちゃってて、ほとんど全裸みたいな状態。手首とかの拘束のあとは、すっかりと消えちゃってた。

「あーなんか……」

絢のしなやかで柔らかな肌の感触を堪能しつつ、はふぅ、と吐息をこぼす。

「こういうの、幸せ」

「うん」

絢もまた、力強くうなずいた。

「わかる。私の手でへとへとになっちゃった鞠佳の、髪がぐちゃぐちゃになったりした寝姿、すごい興奮した」

「……ヘンタイ」

半眼でにらむ。絢は笑ってる。

外の天気は晴れ模様。日曜日だ。どこかショッピングに寄ってから、帰るとしよう。

ふたりっきりのホテルはもうちょっとで終わるけど、日曜日のデートはまだ始まったばかり。

きょうは一日中、絢を独り占めの日だ。

「絢、コーヒー飲んだら、シャワー浴びよ」

「そうだね、鞠佳、やらしい匂いしてるから」

「えっ、うそ⁉」

匂いに敏感なはずのあたしが気づかないですと……。なんか負けた気分で肌をくんくんとかぐ。ぜ、ぜんぜんわかんない。

「そういうの、自分じゃわかんないって言うからね。よしよし、鞠佳」

「むう……」

匂いみたいに、あたしが絢に染め上げられてたり、あたし自身が変えられてるのも、きっとしばらくは気づかないのだろう。

でもね、それって絢もだからね。

「あたしだけじゃないし。最近、絢だって顔が優しくなったよ」

「……そう？」

「うん、そう」

だってなんか、
カノジョの微笑《ほほえ》みを見上げながら、心から思う。

絢ってば、前よりずっと、きれいになってるんだもん。


これからも、絢とあたしは一歩一歩、前に進んでゆく。

それは学校生活だったり、お仕事だったり、人間関係だったりするけど。でも、絢が隣にいてくれるなら、きっとどんなことだってがんばれる。

そういう風に、絢にも思ってもらえたら、嬉しいな。

この先、どんな未来が待ってるのか、不安はあるけど、楽しみなんだよ。だって絢はどんどんきれいになっていくんだから。

あたしも、絢に置いてかれないようにがんばるからね。

大丈夫。だってあたし、絢のこと、ぜんぶ、ぜんぶ好きだもん。

………えっちで、ヘンタイなところだって、ちゃんと含めて……好き、だからね！

可憐さんって拳銃とか手に入れられたりしますか？
え!?
ええと……アヤちゃんなにがあったの？
相談乗るよ……？
いえ、そんなに大したことではないんですが
鞠佳に持たせようかなって
ロングバトンタイプで150万V……世界最強の高出力……このスタンガンかな……
アヤちゃん。アヤちゃんアヤちゃん

ARIOTO

onnadoushitoka ARIENAIDESYO to iiharuonnanoko wo hyakunichikan de TETTEITEKINI otosu yuri no ohanashi

［書き下ろし短編］

百日間で徹底的に落とされた女の子を大好きな、人付き合いが苦手な女の子のお話

ARIOTO

onnadoushitoka ARIENAIDESYO to iihatuonnanoko wo hyakunichikan de TETTEITEKINI otosu yuri no ohanashi

不破絢《ふわあや》は、困っていた。

自室でベッドによりかかりながら、クッションを抱きしめる。絢の部屋は簡素で、ぬいぐるみのひとつも置いていない。物が増えると埃《ほこり》っぽくなるのが嫌だった。

アルバイト先でプレゼントを贈られたときにも、そのほとんどはオーナーに頼んで返却させてもらっていた。絢はできるだけしがらみのない、シンプルな生き方を好んだ。お気に入りのAVコレクションは、また別の話だけれど。

今抱き締めているクッションも、もとは来客のために買ったものだ。来客というか、恋人というか。

顔をうずめて、すんすん、と鼻を鳴らす。

大切な恋人からもらったアロマを染《し》み込ませたクッションは、まるでここに彼女がいるかのように存在感を漂わせてくる。

(匂《にお》いも、確かにいいかも)

彼女がハマる気持ちも、少しわかるような気がする。

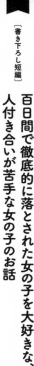

しばらくそうしていると、再びため息が漏《も》れた。

気分転換が不得手だからか、現実逃避はうまくいかないものだ。

「どうしよう」

向かい合った現実の険しさは、深刻だった。

再来週の土曜日、ダブルデートが決まってしまったのだ。

自分が榊原鞠佳《さかきばらまりか》という美少女のカノジョであると表明する作戦は、うまくいった。ほとんど松川知沙希《まつかわちさき》のおかげだったけれど、かなりスピーディーに解決することができた。鞠佳をびっくりさせることができたと思う。

だが、さらなる試練が訪れる。そのダブルデートの内容次第で、どうやら自分が学校で鞠佳と気軽に話してもいいか悪いかが、決まってしまうようだ。

（ぜったい、失敗できない……）

どよーんとしてくる。胃が痛くなりそうだ。

正直な話、なんでそんな面倒なことを、と思わないでもない。

鞠佳も自分も高校二年生で、未成年だけど、分別はついている。

誰《だれ》と話そうが、誰と付き合おうが、個人の自由だ。だけど、学校という場ではその考えは間違っていると鞠佳が言うのだ。

（わからない、けど……）

もし仮に鞠佳が一日三回、土偶を愛でなければならない人間だとして、おもむろに鞄《かばん》から土偶を取り出して『ごめん、これから祈りを捧《ささ》げないといけないの』って言ってきたら、自分はどうするだろうか。

まあ、温かい目で見守るだろう。どんな趣味嗜好《しこう》があっても、それで鞠佳の善性が損なわれるわけではない。

そこまで極端な話ではなくとも。鞠佳が大切にしているものを尊重しないのは、それはつまり鞠佳を粗雑に扱っているということに他ならない。

だから、もちろん本気で挑むつもりだ。

なのだが……。

人付き合いは、絢にとってもっとも苦手なことのひとつだ。

自信はないのに、うまくやらなければならなくて、こうして困り果てている。

（たいへんだな）

鞠佳の隣に居続けるためには、えっちがうまいだけじゃだめらしい。徹底的に落としたのに、鞠佳はそれ以上を要求してくる。本人がとてもスペックが高いからって、誰にでもできると思っているのだろうか。なんて贅沢《ぜいたく》な女の子だ。

でも、ま。

（ご褒美は、じゅうぶん……だけど）

一日の三分の一近くを占める学校生活において、好きなとき、好きなタイミングで鞠佳に話しかけられる。それに、課外活動などの退屈なイベントでも、鞠佳のそばにいられる。

（はあ……がんばろ）

まだどうすればダブルデートを大成功に導けるのか、よくわからない。けど、わからないことには慣れている。

そういうときは、わかるまでとことん考えるか、あるいはわかる人に聞くか。

絢はノートを広げ、片手にスマホを持ち、きょうからの計画を立てる。

（万全を期そう）

期限は短い。たったの一日だって、無駄にはできないのだ。


「え？　ダブルデート？　まだそういうのあるんだねえー」

絢の勤め先は、新宿二丁目のビアンバーだ。

ストレートの女性も多く来店するが、路地裏にあるのと、ほとんど広告を打たずに口コミだけでお客さんを増やしているので、イベント中でもなければ大賑《にぎ》わいすることはまずない。

この日は自分の他に、もうひとりの店員《バーテンダー》がいた。

「へー、楽しそうだなー。いいねえ、女子高生。若いなー羨《うらや》ましー」

「トワさんが『羨ましい』なんて言ってたら、他の人に怒られますよ」

「えー、だって私もう二十二歳だし？　ここにいるのは、私とアヤちゃんだけだもーん」

バーの店員であるトワが、モップによりかかりながら笑う。

開店作業中。本日は可憐《かれん》が遅れてやってくるので、絢とトワのふたりきりだ。

絢は、テーブルを除菌スプレーで磨きながら、人生の先輩に問う。

「なにか気をつけることは、ありますか？」

「んー、そうだねー」

トワはボブカットを明るく染めた長身の美女だ。昼の顔は大学の院生で、ここに来る前は短期間だが、ＳＭクラブに勤めていたこともあるらしい。生粋の女王様気質の女性である。

女王様を辞めたのも『だって店に来る客ってみんな苛《いじ》められたがっているわけでしょ？　そういうのなんか、そそらないなー』とのこと。

絢など比べものにならない自由人のトワは、木々で戯れる小鳥のような声色《こわいろ》で――このせいで、多くのお客さんがトワを優しく思いやりのある人間だと錯覚するのだ――あははと笑った。

「ごめん、私なにも言わなくてもいっつも人に囲まれてたから、そういうので気を遣ったことないやー」

「そうですか」

てっきり話はこれで終わったと思ったのだけど。

背を向けて清掃作業を続ける絢に、「あ、うそうそ、ごめんごめん」とトワが形だけの謝罪のポーズを取ってくる。

「それなりに気をつけたこともあるよー。ワンコちゃんたちのじゃれ合いが、本気のケンカにならないように、とか」

「はあ」

「ようするに、あれかな。和をもって尊しとなす、だよ。わかる？」

「意味は知っています」

「うんうん、それならばっちり。愛想よくニコニコとさえしていれば、アヤちゃんならきっとうまくいくって。だってとびきり美人だもん」

「それ、関係なくないですか？」

そもそも、一緒に遊びに行くメンバーも全員美人だ。とりあえず、トワの発言がどれほどの信憑性《しんぴょうせい》があるかわからないけれど、絢は心のメモに保存することにした。

愛想よく、ニコニコ。……面白《おもしろ》くもないのに笑うのはなかなか大変そうだけど。バーでの経験を活用して、なんとかがんばろう。

「ダブルデートで気をつけることとか」

次の日、一緒のシフトになったのはナナだった。彼女はショートカットの黒髪で、涼し気な目元をしたボーイッシュな美人だ。

手のひらが大きくて、タバコを咥《くわ》える仕草があまりにもかっこいいので、ファンのお客さんが『バーでの喫煙を、ぜひ解禁してほしい』と嘆願書を、可憐に提出したこともあるらしい。

『ダーメ♪』の一言で却下されていた。

「そうだな。がんばる後輩に、なにか良いことを言ってやりたいんだが」

「はい」

絢のまっすぐな視線を浴びて、ナナは目を伏せた。

「僕も、あまり人付き合いが得意なほうではないからな」

ナナは『耳元にささやかれると、天国にいるみたい……』と常連さんに称されるハスキーボイスで、うめいた。

「確かにトワさんも、『なーちゃんに聞いても無駄だと思うよー』って言ってました」

「待て」

在庫の補充をしていたナナは、こちらに不本意そうな顔を向けてきた。

「あいつがそう言ったのか？　言いそうだな。待て、今ちゃんとした本格的なアドバイスしてやるからな」

「お願いします」

絢は小さく頭を下げた。実際にトワが言ったのは『って言ったほうがいいよー。じゃないとなーちゃん、めんどくさがってスルーするからねー』という助言だった。絢はよく知らないけれど、トワとナナは古くからの付き合いらしい。

実際、トワや鞠佳のように先天的なコミュ力に秀でたタイプより、ナナのほうが絢の気持ちをわかってくれるだろう、というのは確かに納得できる。そのためにいちいちケンカ売らないといけないのか？　と思わないでもない絢であったが。

だいたいだ。最初に鞠佳が自分のために立ててくれたであろう計画だって、絢にとっては難しいに違いなかったのだ。だから百日間の期限も守らず、独断専行してしまった。

正しくは『守る気がなかった』ではなく『守る自信がなかった』だ。できる人は、できる自分を基準に考えるからタチが悪い。

それはともかくとして。

「そうだな、これは何事にも共通する点だが、どんなときでも人の話をきちんと聞くべきだ」

「人の話」

「うん、なんだそんな簡単なことか、って思っただろう。違うんだ。話しかけられたら、ちゃんと声に出して返事をすることは、何事にも大切だ。たまにアヤは、自分の頭の中で返事をしたつもりになったりするからな」

「それは……あるかもしれません」

「それじゃあ相手はただ無視されてしまったと感じる。大勢いると、話すタイミングも難しいかもしれないが、どんなに遅れても言ったほうがいい」

ナナはまるで自分がそう心がけているかのように、語ってくれた。

「気の利《き》いたことを言おうと、意気込む必要はないんだ。オウム返しでも構わない。単純にな、『聞いていました。私はあなたの話に興味があります』という態度を示すんだ。……と、こんなところでどうだ？」

絢はスマホにメモった。何度も目で追って、確認する。

「ありがとうございます、ナナさん。思った以上に具体的なアドバイスで、驚きました」

「それもトワが言ったのか？」

「いえ、これは私の意見です」

「……ちゃんと返事はしろと言ったが、余計なことは言わなくてもいいんだぞ」

難しい。


「アヤちゃん、最近みんなからアドバイスもらってるんだって？」

「あ、シオリさん」

さらに次のシフト日に、絢は更衣室でシオリと出くわした。

彼女は、バーでは比較的レアキャラだ。

というのも、大手企業の受付嬢を務めているのだ。夜の仕事でダブルワーカーは珍しくないが、それでも本職は本来バイトする余裕がないほどに忙しいらしい。

けれど、もともと可憐と一緒にバーを始めたオープニングスタッフのひとりということで、今でもこの店が好きで、都合が合うときにはこうして手伝ってくれている。

「よかったら、シオリさんもなにか教えてくれませんか？」

「お、アヤちゃんに？　いいよいいよ、そうだねー、なにがいいっかな」

髪をアップにまとめているシオリは、体を揺らしながら楽しげに微笑む。

彼女は絢を妹のようにかわいがってくれている。絢のお化粧の師匠はシオリだし、それ以外にもいろんなことを彼女から教わった。

可憐さんの経営するこのバーにて、一番かつ唯一の良識人がシオリだと、絢は思っている。

「アヤちゃんだったら、やっぱりあれかな。周りの人が今なにをしたいって思っているのか、キチンと考えること、とかかな」

「それは」

「視野を広くもとう！　ってこと」

自分の両手をぎゅっと握りしめて、シオリはまるで園児に言い聞かせる保育士のようにわかりやすく伝えてくれる。

「アヤちゃんは特に、好きな人ができると、こう、その人のためにって、一直線になっちゃうでしょ？　こう」

両手を顔の横から前に動かして『一直線』のボディランゲージを見せてくる。それからシオリは腰に手を当てて、驚かすような口ぶりで指を振った。

「けどね、女同士ってやっぱり輪を乱す行為がいちばん嫌われちゃうからね。好きな人のためだからって、そこで自分勝手な行動をしちゃうと、だいぶ減点」

「こわい」

「でも安心して！」

思わず漏れた絢の本音に、シオリがグッと親指を立てる。

「たとえばアヤちゃんが恋人とふたりっきりになりたいなあ、って思ったとき、だけど自分から言い出すことができない！　そんな状況にだよ。誰かが『ね、恋人同士でふたりきりになろうよ』ってアシストしてくれたら、どう？　どう？」

絢は、グループで観葉植物くんを買いに行ったときのことを思い出した。

あのときは知沙希が『一緒にどう？』って誘ってくれたから、一足飛びにグループとの仲を深めることができたのだ。そのおかげで、ダブルデートというチャンスも与えてもらえた。

「助かりました」

「そうなのそうなの。それが女性同士の気遣いね。気持ちを汲《く》み取ってもらって、互いに正解を見つけ合う感じ」

シオリの口元には、特徴的なホクロがある。彼女が自分の頬《ほお》に手を添えると、指の隙間《すきま》からホクロが見えて、隙《すき》のない美貌に人懐《ひとなつ》っこさが見え隠れする。その角度が絢は好きだった。

「話を聞く限りでは、そういうことが必要とされているっぽくない？　もちろん、アヤちゃんが嫌ならしなくたっていいんだよ。これも人付き合いの一種ってだけだから」

思わず『めんどくさ……』と眉《まゆ》をしかめそうになる。

けれども、一度知沙希に助けてもらった以上、自分だけが一方的に恩恵にあずかるのは、絢の心情としても決して快くはない。

なにより、グループ全体が思いやりをもって助け合っているのならば、それはきっと中にいる人にとってはとても居心地のいい場所になるのだろう。

「あー、うー」

絢はうなった。鞠佳の前では、まず見せない戸惑いだ。

「……やってみます」

周りの人がなにをしたいと思っているのか。先回りして、助けてあげる。

あまりにも難しそうだし、常にそんなことを気にしなきゃいけないぐらいなら、ひとりでいたほうがよっぽどマシだ、と思う気持ちもある。

……でも、たぶん。

「あの子は、いつもそういう風に、私の手を引いてくれていると思うので」

「そっかぁ」

シオリはにっこりと笑って、絢の背中をぽんぽんと叩《たた》く。

「アヤちゃん、自分が嫌なことはぜったいにしないのに。その子のこと、よっぽど大事に思ってるんだね！」

胸にふんわりと、鞠佳の香りが蘇《よみがえ》る。

「……はい。大切です」

自然と微笑んでいた絢を見て、シオリはまるで自分のことのように嬉しそうだった。

「大丈夫大丈夫、アヤちゃんのやることはぜんぶうまくいくよ。もしうまくいかなくても、がんばったことは無駄にならないから。ね、張り切っていこ！」

彼女はちょっと熱血なところがあって、驚くほどにポジティブだ。

開店当時、経営がなかなかうまくいかなくて病みかけていた可憐を、そばで励まし、支えてあげたのも、シオリだったという。

「がんばります」

シオリの言葉には力がある。鞠佳のために前向きにがんばろうって、素直にそう思えるのだ。

他にもバーの面々から教わった秘訣《ひけつ》の数々を、絢は自分なりに解釈した。ちゃんと咀嚼《そしゃく》し、自分にはなにができそうなのか、イメージトレーニングを重ねたりした。

悠愛《ゆめ》や知沙希のパーソナリティについては、鞠佳から教えてもらうわけにもいかないので（できれば鞠佳にはナイショにしておきたかったのだ）もうお互いのカップルから聞き出すことにした。

悠愛から知沙希を。また、知沙希から悠愛の情報を。

ダブルデートを成功させるためだと言うと、ふたりは惜しみなく協力をしてくれた。

結果、ふたりからそれぞれののろけを聞くことになって、同じ話を二回されたこともあったけれど。

少しずつ、少しずつ気持ちをダブルデートに向けて盛り上げてゆくと、いつの間にか緊張は薄れていった。

これだけやったんだ、という努力の歴史が、地層のようにメモ帳に積み重なってゆくと、きっとうまくいくはずだ、という自信がわいてくるのだ。

ダブルデートを翌日に控えた夜。

当日の話題についても、可憐やバーの面々に聞いて、面白いネタをたくさん仕入れた。あの人たちはお喋《しゃべ》りがうまくて、絢の予行練習にも付き合ってくれた。

たびたびやってきたアスタロッテは大して役には立たなかったけど、『アヤがうまくいくように、おまじないかけてあげる！　大好きなトモダチだもの！』って、笑顔で絢の両手を握り、パワーを注入してくれた。

自分はいい人に恵まれていると思う。

本当にひとりきりだったら、こんなにも準備を整えることはできなかった。それをみんなは『絢ががんばっているから協力するんだよ』と言ってくれるけれど、そんなことはない。誰もががんばっている。自分は運がいいだけだ。

鞠佳と出会えたのも、付き合えたのも、本当に運がよかった。

自宅のベッドによりかかり、クッションを抱きながら、絢はふと天井《てんじょう》を見上げた。

ふう、と熱いため息をつく。

「……鞠佳」

彼女を徹底的に落としたはずなのに、変えられていっているのは自分のほうだ。

「私、がんばるね」

ダブルデートの結果は……自分でも信じられないほどに、うまくいった。

それに、思う存分、鞠佳に褒めてもらえた。

嬉しかったから、図に乗ってまた鞠佳のためにがんばろうなんて、思ってしまうのだ。

＊＊＊

そして――。

冴《さえ》との騒動も一段落して、なんでもない日々が戻ってきた。

絢は鏡の前で身支度を整える。

薄化粧は、下地とアイメイク。それに唇に目立たないリップを一撫《ひとな》で。その程度だ。

けれど、きょうはほんの少しだけ、髪を飾ってみた。まだ時間もあることだし、丁寧に。

梳《す》いて、軽く巻く。

指でいくつか束を作り、後ろでまとめてウェーブ感を出す。

ふんわりとしたお日様色の髪が、背中に広がった。まるでヴェールみたいだ、とは自己評価が少し高すぎるかな。

制服に着替えて、お出かけ前にはもう一度鏡でチェック。

いつもと変わらぬ、いつもより少しだけ髪型に凝った自分の姿。

(なんだか、ヘンなかんじ)

家を出て、駅へと向かう。

絢のスタンスは本来、現状維持だ。昨日と同じきょう、きょうと同じ明日。明日と同じ未来がいつまでも続くことを、夢見ている。

だから鞠佳が貪欲《どんよく》に一日一歩でも前へと進んでいこうとする姿勢は、すごいとは思うけれど、自分とは別の人種だな、としか思っていなかったはずだ。

（けど……）

どうしてだろうか。今は、少しずつ変わっていくことが、それほど嫌じゃない。

クリスマスイブの夜みたいに寝付けずそわそわしてしまうような毎日が、ずっと続いている。

それもこれもすべて、鞠佳と出会ってからだ。

改札を抜け、駅のホームに立つ。通勤通学の人たちから、遠慮のない視線を浴びせられる。多少わずらわしくても、もう慣れた。

スマホを開くと、いつものように鞠佳からのメッセージが届いている。『おはよう』とスタンプ。あと少しで会えるのに、返事を返す意味もわからなかったけれど、スタンプを送った。

なんだか、こそばゆい。

こういうことは、自分には似合わない気がする。

けど、それで鞠佳が喜んでくれるならと、これで気持ちが通じ合っていると思ってくれるならと、絢は鞠佳に従うのだ。ほんとにもう、以前の自分なら考えられない。

すぐに鞠佳から『きょうは寒いらしいよ！』と、まるで緊急の用事であるかのように、メッセージが送られてきた。

スマホを見つめて頬を緩《ゆる》めていると、「あの」と声をかけられる。

顔をあげる、すると、見覚えのない男の子が近くにいた。

少し広めの肩幅に、学生服が窮屈そうだ。顔の作りは整っている、気がする。絢は、ぼんやりしていると、人の顔の印象があっという間に霧散してしまうのだ。

「なに？」

いきなりの言葉に、彼は少し驚いたようだったけれど、勇気を出したように口を開いた。

「いつも電車で見かけて……きょう、いつもと髪型違うんすね。よく似合ってますよ」

「ああ、うん」

それだけ応《こた》えて、絢は再びスマホに目を落とした。

男の子はしばらくなにかを言っていたみたいだけど、絢が一切《いっさい》反応しなくなったのを見て、諦《あきら》めたみたいに去っていった。

いったい、なんだったんだろうか。

絢は内心首を傾げていたけれど、乗った電車を降りる頃には、もうすっかり彼のことは忘れてしまっていた。

いつものように、学校までの道のりをたどる。通い慣れた並木道は、紅葉に色づいている。

冬の足音を感じながら、学生の集団に紛《まぎ》れ込む。

下駄箱《げたばこ》で上履きに履《は》き替えて、校内へと。

学校は女子だけの世界だ。外からやってくると、まるで海外に迷い込んだように、どこか独特の空気感を覚える。騒がしい声。女の子の匂い。視界の端で常に揺れるスカート。たまにかわいい女の子に目を奪われそうになってしまい、絢は少し反省した。

もうすぐ、教室だ。窓際の机に鞄を置いて、あとはぼうっと窓の外を眺めているのが、いつもの絢の日常だった。

なにをしているわけでもない。ただ、昨日のバーのことや、読んだ漫画の内容。あるいは、榊原鞠佳のお喋りを盗み聞きしていたり。

教室にいるのに、近くて遠い、それが絢だけの世界だった。

けれど。

「あっ」

教室に足を踏み入れたその瞬間、ぱっと華やいだ声がした。

人の輪にいた鞠佳が、その瞳《ひとみ》を輝かせて、こちらを見つめている。

絢は相好を崩した。

「おはよう、榊原さん」

鞠佳の柔らかそうな頬が、ぽっと赤くなる。

人当たりのいい美少女は、表情を隠すように口元に手の甲を当てた。

それから、誰かに見られていなかったかと左右にすばやく視線を動かし、先ほどとは違った小声で。

「お、おはよ、不破……」

朝から、かわいい顔を見せてくれる鞠佳だった。

知沙希や悠愛がまだ登校していないからか、鞠佳は絢のよく知らないクラスメイトと話している。いつもとは少し印象が違う。いくつもの顔を使い分けて、鞠佳は教室の人間関係をうまく渡り歩いている。

邪魔をするつもりはないから、早々に手を振って自分の席へ。

ただ朝に一言、言葉を交わせただけで、もうじゅうぶん。

それだけで、すべてが報われたような気持ちになるのだ。

(鞠佳、きょうもほんとにかわいい)

彼女の笑顔を何度もリフレインしていると、背後に気配を感じた。

驚いて、振り返る。すると自分よりずっとびっくりした顔で、悠愛がそこに立っていた。

「び、びびったぁ……。あやや、なんでわかったの？」

「……なんとなく？」

「ううむ、あたしもまだまだ修行が足りないか……。がんばったらなれるかな？　忍者」

「なれるんじゃないかな」

「適当に言ってない⁉　本気であたしが忍者になれるって思ってくれてる⁉　心の底から⁉　ねえ、答えてよ！」

「なにウザい絡《から》み方してんだ」

「いたっ」

ぺちりと悠愛の後頭部にチョップするのは、知沙希《ちさき》だ。

いつもシワのないワイシャツみたいに背筋が伸びた彼女は、片手を挙げて、「よ」と挨拶《あいさつ》してきた。こくこくと、絢もうなずく。

「おはよ」

最初は少し怖い印象を抱いていた知沙希だけど、最近ではようやく慣れてきた。口が悪いところはあるものの、彼女はむやみやたらと人を嫌ったりはしないようだから。

「あ、そういや新イベント始まったよね。不破やってる？」

「うん。昨日はずっと回ってたよ。もう限定キャラは取った」

「早すぎでしょ。まさか寝てないとか？」

「ちょっと夜ふかしはしちゃったかな。どうせ学校で寝るし」

「いや寝んなよ」

しばらく、ふたりと他愛《たあい》のない話をしていると、そこに鞠佳もやってきた。

「おはよー、知沙希ー、悠愛ー。ねえ聞いてよきょう朝ごはん食べてなくて、コンビニ寄るのも忘れちゃってさあ。お昼前にお腹鳴《なか》っちゃいそうで最悪！」

「よしよし、マリ。大丈夫か？　リップクリーム食べるか？」

「あ、じゃああたし、ティッシュあげるよ！　ほら、お食べ」

「いらんわ！　胃の中にモノ詰め込めばいいってもんじゃないんだぞ！」

がおーとツッコミを入れる鞠佳がかわいくて、くすくすと笑っていると、彼女は顔を赤らめながら「もー」とうなる。

「不破にめっちゃ笑われてんじゃん」

ここで『かわいくて』と素直に言うと怒られるらしいというのは、すでに学習した。

「榊原さんのリアクションが面白くて」

「ああそうですか、朝から不破の笑顔が見れてそりゃ本望ですね」

ぷーと頬を膨らませる鞠佳。

ああどうしよう、抱きしめたい。

学校で鞠佳との距離が縮まった弊害は、これだ。

怒られると知りながら、恋人ムーブをしてしまいたくなる。鞠佳を困らせたくなる。

だめだめ、なんとか、自制をしないと。いつかはガマンできなくなっちゃうかもだけど。

「あ、そだ」

そこで、鞠佳が手を打った。

絢めがけて。

恋人ではない、友人としての太陽みたいな笑顔を向けてくる。

「不破さ、きょうの髪型、めっちゃオシャレじゃん。すっごい、似合ってる」

ああー。

もう、両手を手で覆《おお》って、転げ回りたい気分。

自分が鞠佳のためにしてあげたいと思ったことがすべて、見透かされているみたいだ。

変わることを、彼女は誰よりも是としている。それが鞠佳の生きる、百パーセントの光の世界だ。自分なんかが踏み入れてしまっても、鞠佳は手放しで歓迎してくれている。温かく優しい笑顔をくれる。

これだから鞠佳は、本当に、もう。

「え、な、なに？　いきなり手首掴《つか》んできて。あたしヘンなこと言った？」

「ちょっとトイレいこうか、榊原さん」

「イヤだよ⁉　なんか目が怖いし⁉」

鞠佳の手加減のないご褒美は、コーヒーに溶けきれなくなった砂糖のように、いつだって過剰すぎるのだ。

その甘さで、絢の心をめちゃくちゃにしてしまうほど。

鞠佳の要求はこれからもエスカレートするに違いない。

彼女は自分のことをなんでもできる完璧な人間だと思い込んでいるから、期待に応えるのも大変だ。

だけど、がんばったその先に、これまで以上に幸せな未来が待っていてくれると、心から信じさせてくれるのならば。

これからも絢は、鞠佳のために尽くすだろう。

鞠佳が、絢にひたむきな愛情を注いでくれるように。

だってふたりは、恋人同士なのだから。

あとがき

ごきげんよう、みかみてれんです。

このたび『女同士とかありえないでしょと言い張る女の子を、百日間で徹底的に落とす百合のお話』こと『**ありおと**』を手に取ってくださって、ありがとうございます。

今回はあとがき2ページなので、超速で本題に入りますね。

「もう落とされてるじゃん!!!!」

わかる、わかりますよ。タイトルを1巻で回収してしまっているから、2巻以降なにをするの⁉ って。おっしゃりたいことはすごくわかります。

でも、違うんですよ。ガールズラブコメっていうのは、そもそも付き合ってからのイチャラブこそが本番なんですよ。**ていうかわたしがそれを書きたい**。

一歩ずつオトナの階段を上るふたり。ときにケンカして、仲直りして、愛し合ったりして……それがね、その先をずっと見守りたいんですよ。**わたしが**。

だからありおとのタイトルは、いつだってスタートラインを指し示しているんです。本文を読み終えた後に、改めてタイトルを見直した読者さんが「**鞠佳《まりか》……遠いところまで、旅してき**

たんだな……」と感慨深《かんがいぶか》くため息をつく。そのためのタイトルなのです。

これからも鞠佳と絢《あや》の人生の旅を、どうぞ見守っていただければ幸いです。

と、なんとなく落ち着いたところで、謝辞《しゃじ》です！


今回も快くイラストを引き受けてくださった雪子《ゆきこ》さん、誠にありがとうございます。口絵の完成度がありえないほど高くて、本当にうっとりします。ありえなくない！

また、担当のねこぴょんさん、営業のタヌ吉さん、さらにこの本を作るために関わってくださった多くの方々、心からありがとうございます。

そしてなによりも、この本をお手にとってくださった方や、この本を売るためにがんばってくださった書店員の方々に、大きな感謝を。

願わくばこれからもガールズラブコメを書き続けられるように、応援していただければ幸いです！　今だ！　そこだ！　周りのみんなをガルコメ沼に沈めるんだ！

待望のコミカライズも始まるぞ！　百合姫《ゆりひめ》コミックスより短編集『ワンナイトフレンド』を出版されているかやこ先生だ！　収録作の臆病者《おくびょうもの》のイドラは、がちで名作なのでおすすめ！

それでは、またどこかでお会いできますように！　みかみてれんでした！

ファンレター、作品の
ご感想をお待ちしています

〈あて先〉

〒105-0001
東京都港区虎ノ門2-2-1
ＳＢクリエイティブ（株）
GA文庫編集部 気付

「みかみてれん先生」係
「雪子先生」係

本書に関するご意見・ご感想は
右の QR コードよりお寄せください。

※アクセスの際や登録時に発生する通信費等はご負担ください。

https://ga.sbcr.jp/

女同士とかありえないでしょと言い張る女の子を、百日間で徹底的に落とす百合のお話2

発　行　2020年7月31日　初版第一刷発行
2024年1月26日　第四刷発行
著　者　みかみてれん
発行者　小川　淳

発行所　SBクリエイティブ株式会社
〒105-0001
東京都港区虎ノ門2-2-1

装　丁　FILTH

印刷・製本　中央精版印刷株式会社

ISBN978-4-8156-0710-4
Printed in Japan　GA文庫